Eisiau Byw

Gwyneth Carey

Argraffiad cyntaf—1999
Argraffiad Print Bras—2000

ISBN 1 85902 837 3

ⓗ Gwyneth Carey

Mae Gwyneth Carey wedi datgan ei hawl dan Ddeddf Hawlfraint, Dyluniadau a Phatentau 1988 i gael ei chydnabod fel awdur y llyfr hwn.

Dymuna'r cyhoeddwyr gydnabod cymorth
adrannau Cyngor Llyfrau Cymru.

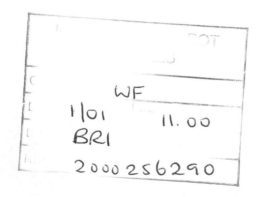

Argraffwyd gan
Wasg Gomer, Llandysul, Ceredigion

EISIAU BYW

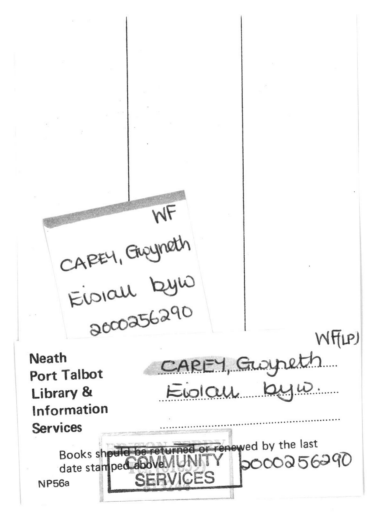

WF

CAREY, Gwyneth

Eisiau byw

2000256290

Barbara Siân

Edrychodd Barbara Siân drwy'r cwpwrdd dillad a dewis sgert o dapestri Cymreig. Roedd hi'n bur hoff ohoni am fod y lliwiau gwyrdd a hufen yn mynd gyda'r anorac oedd yn ffefryn ganddi, a'r diwyg i gyd yn adlewyrchu lliw ei llygaid a'i chroen. Faint o flynyddoedd oedd wedi mynd heibio er pan brynodd hi'r sgert ar ryw wyliau yn Nyffryn Conwy? Digon i'r ffasiwn fod wedi hen newid, ond doedd y defnydd ddim mymryn gwaeth. Teimlai'n gyfforddus wrth ei gwisgo, yn daclus heb dynnu sylw.

Mynd ar drip Merched y Wawr yr oedd hi. Wrth symud i Gymru y flwyddyn cynt, roedd hi wedi bod yn benderfynol o beidio ag ymhél ag unrhyw fudiad, yn enwedig mudiad gwladgarol neu fudiad merched. Meinir, gwraig y tyddyn nesaf, oedd wedi chwalu'r penderfyniad. Meinir, a'i rhadlonrwydd bochgoch, barod ei chwerthiniad, barod ei chymwynas. 'Ddo i heibio chdi, tua chwarter wedi saith, ia?' Ar y cyntaf, teimlai Siân yn chwithig yn y cyfarfodydd, yn enwedig wrth ganu Cân y Mudiad, ond erbyn hyn roedd hi'n dod i arfer, a'r ysgytwad diwylliannol yn pylu. Ac yr oedd y gweithgareddau a'r tripiau yn cyflawni ei hangen. Roedd ganddi gymaint i'w ddysgu am Gymru, wedi byw i ffwrdd ers dyddiau coleg. Cyfle da oedd y daith yma i fyny Dyffryn Ffestiniog i Blas Tan-y-Bwlch, a thrwyn y bws yn turio rhwng coed a chreigiau i fyny'r dreif at y tŷ. Siaradai Meinir yn ddi-baid.

'Mae'r rho-dy-dendans yn reit hardd yn 'u blodau, er

bod yna ddigon o ddeud yn 'u herbyn nhw y dyddiau yma.'

Edrychodd Siân arni'n ddryslyd. Rho-dy-dendans ddeudodd hi? Jôc, ynteu methu dweud rhododendron oedd hi? Cofiodd fod yn yr un benbleth pan glywodd hi gyntaf am jac-codi-baw. Methu gwybod a oedd disgwyl iddi chwerthin, ynteu a oedd hi i fod i wybod mai dyna enw iawn yr anghenfil.

Daeth y bws â hwy rownd cefn y tŷ a'u gollwng wrth y talcen. Wrth gerdded heibio'r gornel i'r teras ffrynt, cymerodd Siân ei gwynt ati.

'Hardd, yntydi?' Gellid meddwl fod y tŷ wedi cael ei naddu yn y clogwyn gan ryw gawr o gerflunydd. O dan y teras, disgynnai'r ardd goed yn serth i ddyffryn yr afon Dwyryd. Dolennai honno drwy'r caeau wrth ymyl y pentref. Tu hwnt iddi codai llethr tynerach dan garped trwchus o goed bythwyrdd.

Aeth Siân i un o'i breuddwydion. Hi oedd meistres Tan-y-Bwlch. Roedd hi wedi gwahodd y tenantiaid i gael te ar y teras, a dyna lle'r oeddynt yn eistedd wrth y byrddau dan ymbarelau enfawr, a'r gweision yn cario dysglau o hufen cartref a mafon coch o'r ardd. Hithau, mewn gŵn llwydlas, yn symud yn osgeiddig rhwng y grwpiau yn holi am fogfa'r naill a chrydcymalau'r llall. Ac wedyn yn ffarwelio, a'u gwylio i gyd yn cerdded i lawr y bryn, eu pennau'n chwarae mig i mewn ac allan o'r coed, nes cyrraedd gwaelod y dyffryn a mynd i mewn i'w tai fel dynionach mewn pentre model.

Sylweddolodd fod y Warden yn siarad, yn dweud hanes y Plas.

'O'r fan hyn, mi fedrwch weld sut y gwnaeth y perchennog cyntaf newid cwrs yr afon i wneud siâp S fawr. Mi fuasai'r gost heddiw yn anhygoel. Ac mi oedd o hefyd wedi clirio coed er mwyn cerfio llythrennau blaen ei enw yn y fforest. Dydyn nhw ddim yn glir rŵan, ond mi fedrwch chi weld cysgod o'r W o hyd. Mi allai o eistedd ar ei deras a gweld ei lofnod ar y dyffryn —a gwneud argraff fawr ar y gwesteion fyddai'n dod o Lundain i hafota yma. Pan fyddai parti'n aros yn y Plas, mi fyddai'r pentrefwyr yn cael eu gwahardd rhag rhoi dillad allan i sychu, rhag iddyn nhw ddifetha'r olygfa.'

Gwaredu wnaeth y merched at hyn, ond doedd Siân ddim mor feirniadol.

'Felly roedd pethau y pryd hynny, mae'n debyg.'

'Go brin y buasai'r un Cymro yn bod mor haerllug yr adeg hynny na'r un adeg arall,' meddai Meinir yn frwd. Trodd Siân ati, a throi'n ôl heb ateb.

Roedd y Warden yn dal i draethu am hanes yr ardd, y coed a'r llwyni prin a ddygwyd o ben draw'r byd. Llithrodd Siân yn ôl i'w breuddwyd. Y tro yma roedd hi'n galw'r pen garddwr i mewn i'r ystafell wydr i drafod cynlluniau'r ardd goed. Yna cofiodd mai prin y cawsai hi, fel gwraig y Plas, lais mewn mater o'r fath. Yr ardd rosod a'r gwely perlysiau fyddai ei theyrnas hi wedi bod. Dechreuodd eto, ei gŵr a hithau y tro yma wrth eu brecwast yn heulwen y stafell fach ddwyreiniol, ef yn bwyta cejerî ac yn chwilio am hysbysebion botanegol yn y *Times*.

'Dw i am ymestyn yr *arboretum*, cariad. Hwyrach y gallem ni osod deildy bach i ti mewn cornel gysgodol. Mi fuaset yn mwynhau hynny . . .'

'. . . ac wrth gwrs mae'r Parc Cenedlaethol a'r Cynghorau Lleol yn cynnal pob math o weithgareddau yma.'

Roedd Meinir yn edrych yn od arni.

7

'Ydyn nhw'n werth ceiniog? Golwg go bell arnat ti.'

'O, dwn 'im. Meddwl oeddwn i am y Plas fel y byddai o erstalwm.'

'O, ia? Yn amser y byddigions?' Chwarddodd Meinir yn gysurus. 'Wel, rwyt ti'n dŵad i'r tŷ i gael te? Ni 'di'r byddigions rŵan 'sti.'

Chwiliodd Barbara Siân yn y cwpwrdd dillad am y sgert *Aquascutum* a'r sgarff berthnasol. Doedd y patrwm sgwarog brown, hufen a nefi blw ddim yn gweddu'n arbennig iddi, ond mi fyddai'n addas iawn ar gyfer y clwb golff. Roedd hi ac Esmé wedi trefnu i fynd am dro i ben blasty Erddig ar ôl y gêm. Golff, wrth gwrs, oedd wedi dod â'r ddwy at ei gilydd. Wrth roi set o glybiau yn anrheg ymddeol i Barbara, roedd Mr Featherstone wedi mentro jôc. 'Os oes raid i chi gladdu'ch hun ym mynyddoedd Cymru, mi fydd raid i chi gael rhywbeth gwell i'w wneud na siarad hefo'r defaid!' A phan aeth hi i'r clwb am y tro cyntaf, roedd Esmé yno i'w chroesawu. Esmé a'i harddwch sipsïaidd, ei steil llachar. Anodd gwybod beth oedd wedi gwneud iddynt glosio cymaint at ei gilydd, ond fod gan y ddwy angen ffrind. Sut bynnag, roeddynt wedi dechrau chwarae golff yn gyson, ac yn mynd o amgylch y maes yn siarad fel dwy felin bupur.

Esmé oedd wrthi'r tro yma, yn egluro pam yr oedd hithau wedi setlo yn Nyffryn Clwyd.

'Dw i wedi bod yn hoff iawn o Gymru erioed. Mi fydden ni'n mynd i Red Wharf Bay ar ein gwyliau pan oedden ni'n blant. Ac wedyn, pan oedd Jeremy'n fyw, mi fydden ni'n dod i Gymru yn yr haf, pan oedd hi'n rhy boeth i fynd i'r Cyfandir. Ac mi ddaru ni benderfynu prynu tŷ haf yma. Ar ganol y trosglwyddo yr oedden ni pan fu Jeremy farw. Roedden ni wedi cynllunio cymaint—a finnau'n teimlo y bydde fo am i mi gario ymlaen a dod i fyw yma. Wedi'r cwbl, doedd yna ddim byd i 'nghadw i yn Birmingham mwyach. Dario'r gwynt 'ma! Mae o'n mynd â'r bêl i bob man.'

Gêm braidd yn ddi-sut oedd hi felly, a'r un o'r ddwy yn malio am gyfri'r sgôr. Mewn hwyliau atgofus a sentimental y troesant y car am Wrecsam a hen blasty'r Erddig. Gwyddai Esmé gryn dipyn am hanes y teulu Yorke.

'O, roedd hi'n drist am yr ola' ohonyn nhw, Philip Yorke. Roedd y lle wedi mynd â'i ben iddo, a fynte'n byw mewn un ystafell, hefo'r papur yn pilio oddi ar y wal, a'r glaw yn dod i mewn drwy'r to. A'r unig gwmni oedd ganddo fo oedd ei gi bach. Roedd hi'n drugaredd i'r Ymddiriedolaeth gymryd y lle oddi arno fo. Y piti oedd i'r hen greadur farw cyn iddyn nhw fedru gwneud lle cysurus iddo fo fyw.'

Roedd Esmé'n wybodus hefyd am y perlysiau yn y border dan wal y berllan.

'Mae'r oregano euraid yma'n hardd, yntydi? Rhaid i mi gofio cael peth i'w dyfu adre, yn y gwely pêr. Wyt ti ddim wedi cael amser i wneud dim byd felly eto, debyg? Tyd acw wythnos nesa i ti gael gwreiddyn o hyn a'r llall.'

Ond pan ddaethant i fuarth Erddig, Barbara oedd yn gwybod fwyaf am gelfi'r efail, y troliau yn y sièd, a chylch y fuddai gorddi. Daeth atgofion yn ôl o'i phlentyndod fel cael hyd i hen ddilledyn wedi ei droi o'r neilltu ers cyn cof. Ond roedd Esmé am symud ymlaen.

'Be wyt ti'n feddwl o'r tŷ?'

'Reit blaen, yntydi?' Credai Barbara ei fod o'n dŷ hyll a diddychymyg, fel petai'r pensaer wedi rhoi drws ffrynt mewn sgwâr, rhoi ffenest o'r naill du iddo fo, a dal ati i ychwanegu ffenest bob ochr nes bod y tŷ'n ddigon mawr. Doedd o ddim gwell na bocs sgidiau estynedig.

Doedd hi ddim yn teimlo chwaith fod ffurfioldeb yr ardd yn gweddu i'r tirlun. Golwg estron oedd ar y sgwariau a'r diemwntau o wrychoedd bach bocs, y gamlas fesuredig, a'r catrodau o goed.

'Gwych, yntê,' sylwodd Esmé, 'cael hyd i'r fath gelfyddyd mewn lle fel hyn? O, drycha ar y sgrin haearn gyr yna yn y pen draw. Pwy oedd y brodyr Davies, wyt ti'n gwybod? Mae'r llyfryn yma'n dweud eu bod nhw'n enwog. O, ac mae o'n dweud bod yna bethau unigryw yn y tŷ, yn enwedig y tu ôl i'r drws *baize* gwyrdd.'

Ac mi roedd. Cafodd y ddwy eu syfrdanu gan y lluniau ar wal y coridor hir ac yn neuadd y gweision.

'Pwy fasai'n meddwl am gael portread o bob gwas a morwyn ac—O, sbia, y gwas coets bach du! Un o feibion y teulu wedi bod yn Affrica ac wedi dod â hwn yn ôl hefo fo, tybed? A'r penillion 'ma! Cân o fawl i'r howsgiper, i'r garddwr, a hyd yn oed i'r forwyn fach! Y sgweiar yn fardd cocos, tawn i byth!'

'Ia,' meddai Esmé, 'on'd oedden nhw'n ffeind wrth eu gweision? Bron fel tasen nhw'n ffrindiau iddyn nhw. Dw i'n gweld hynny'n *wych*, wyt ti? Mae'n rhaid eu bod nhw'n bobl wirioneddol neis. A dod a chreu lle hardd fel hyn ar ben hen faes glo diolwg. Mae hi'r un fath hefo tai haf, yntydi? Pobl yn dod ac yn achub hen furddunod, a'u gwneud nhw'n gymen—a rhyw gnafon diegwyddor wedyn yn mynd a'u llosgi nhw. Hwligans. Maen nhw'n gywilydd i'r wlad.'

Cytunodd Barbara, ond braidd yn llugoer. Teimlai ryw anesmwythyd od, a gwnaeth hynny iddi awgrymu cael paned. Yn nhŷ bwyta cymen yr Ymddiriedolaeth, daeth y byd i'w le, ac aeth y ddwy ati i drefnu diwrnod o siopa yn Llandudno.

'Dydi o ddim yn lot o hwyl mynd i siopa ar dy ben dy hun, nagdi?'

'Diolch yn fawr i ti am ddod efo fi, Siân. Does 'na ddim lle i barcio tu allan i'r siop, a fedra i byth gario'r holl flodau yma fy hun. Dw i wedi addo mynd â nhw i'r Ganolfan erbyn ganol dydd, er mwyn i Glenda gael amser i'w gosod nhw.'

Roedd Meinir yn sgleinio o chwys ac asbri wrth arwain Siân drwy'r trwch o gwsmeriaid at y ddesg i dalu. Nid ei bod hi'n gwthio. Agorid y ffordd iddynt gan led y chwe thusw o flodau yn eu hafflau. Ac wedi iddynt gyrraedd y ddesg: 'Mae'n ddrwg gen i ofyn hyn, ond ga' i roi'r lot yma i ti i'w dal tra bydda i'n estyn y llyfr siec? O, diolch. Ti'n werth y byd.' Gwegiodd Siân dan y llwyth, a phrin y gallai hi weld dim dros ei ben. Clywed y sgwrs ar draws y ddesg wnaeth hi.

'Oes rhwbeth yn bod?'

'Wel, y siec, madam. Mae'n ddrwg gen i, ond alla i ddim darllen y geiriau. Dydyn nhw ddim yn edrych fel Saesneg i mi.'

'Wel, nac ydyn. Dydyn nhw ddim yn Saesneg.'

'*Ddim* yn Saesneg? O, wel, h'm, wel, pa iaith ydyn nhw?'

'Cymraeg.'

Distawrwydd am funud. Yna llais Meinir eto.

'Yng Nghymru yr yden ni, yntê?'

Sythodd Siân yn boenus wrth geisio gweld heibio ei llwyth o flodau. Roedd hi'n sâl eisiau gweld wyneb Meinir. Aeth y llais ymlaen heb goegi, yn gynnes ac yn agored.

'Fel 'dech chi'n gweld, nid fy nghownt i ydi o, ond cownt y Mudiad. Ac mae o'n un o reolau'r Mudiad ein bod ni'n gwneud popeth yn Gymraeg. Felly, dydi o ddim yn bosib i mi sgwennu'r siec yn Saesneg. Ond mi alla i eich sicrhau chi ei bod hi'n berffaith ddilys fel y mae hi.'

Erbyn hyn, roedd yna giw wrth y til, a phennau'n troi i fwynhau'r sioe. Syflodd Siân ei choflaid unwaith eto, a cheisio rhoi ei phwysau ar ymyl y cownter. Gwthiai'r rheolwr drwy'r dorf gan dynnu cynffon o fusnesgwn ar ei ôl. Yn hollol ddamweiniol, yn yr hyrddio anhrefnus, collodd Siân ei balans bregus a dymchwelodd y tusŵau o flodau i ganol y dorf. Wrth iddi droi i geisio eu hachub, gwelodd pwy oedd yn sefyll wrth reilen o sgertiau prin ddecllath i ffwrdd. Esmé oedd yno, wedi ei fferru ar hanner tro, ei llaw allan i afael mewn hongiwr dillad a'i hwyneb yn bictiwr o sioc. Cyfarfu â llygaid Siân mewn eiliad o adnabod. Yna, tarodd yr hongiwr yn ôl ar y reilen, troi i ffwrdd a diflannu yn y dorf.

Hen ddiwrnod annifyr oedd hi a'r smwclaw'n gwneud i'r bwthyn edrych yn llwm. Penderfynodd Siân fynd i brynu llwyth o blanhigion i lonni tipyn ar y lle. Doedd hi ddim wedi clywed mwy gan Esmé ynghylch y cynnig i gael gwreiddyn neu ddau o'r ardd. Wel, gallai ddewis drosti ei hunan, diolch yn fawr. Aeth i'r llofft i newid o'i throwsus gwaith.

Tynnodd ddwy sgert o'r cwpwrdd. Y tapestri Cymreig ynteu'r *Aquascutum*? Pendronodd. Byddai'r gwyrdd yn fwy addas i neges heddiw, siŵr o fod. Gallai fynd â'r llall i'w glanhau. Fyddai arni mo'i hangen hi am beth amser.

Dwy Ffrind?

Nos Ystwyll oedd hi, a minnau'n synfyfyrio wrth y tân. Nid synfyfyrio ar fy nghyfer chwaith, ond ystyried beth i'w wneud hefo'r cardiau Nadolig ar ôl i mi eu tynnu nhw i gyd i lawr yn ôl y drefn. Dw i'n dal i gyfnewid cardiau hefo rhai pobl nad ydw i ddim wedi eu gweld ers oes pys, ac yn sgwennu rhyw neges ystrydebol fel 'Gobeithio'ch bod chi i gyd yn cadw'n iawn fel finne'. Bob blwyddyn dw i'n addunedu chwynnu'r rhestr, a'r flwyddyn nesa dw i'n maddau i'r enwau atgofus o'r dyddiau glas.

Ond eleni dyma gerdyn oddi wrth Esther, ac am y tro cyntaf ers blynyddoedd, llythyr reit hir hefo fo. Dweud mor falch yr oedd hi ein bod ni wedi cadw cysylltiad, a meddwl mor braf fuasai cael sgwrs. Beth amdani, o ddifri? Doedd o ddim mor bell â hynny, ac mi allen ni gyfarfod hanner ffordd. Beth am westy'r Bwlch ryw ddydd Sadwrn?

Mi fuasai'n beth hyll i mi wrthod, debyg, ond doeddwn i ddim ar ormod o hast i sgwennu a derbyn. Teimladau braidd yn gymysg fyddai gen i am Esther, ond hwyrach petawn i'n hel atgofion ac yn ailedrych ar bethau, y buaswn i'n teimlo'n wahanol. Does neb yn gwisgo'r un sbectol am ugain mlynedd.

Wedyn, mi rois i flocyn ar y tân a gwneud cwpanaid o goffi. Wrth i mi eistedd yn ôl ar yr hen gadair glustiog, mi geisiais i ddychmygu beth fyddai Esther yn ei wneud ar Nos Ystwyll fel hyn, a sut dŷ fyddai ganddi.

Mewn fflat yr oeddwn i'n ei chofio hi, ond fflat crand iawn wrth gwrs. Darn o lawr isaf hen blasty oedd o, gydag ystafelloedd eang, a'r nenfwd i fyny yn yr awyr yn rhywle. Mowldiadau deiliog ar blastar y cilfwadau, a hesian ar y parwydydd. Roedd Esther wedi gwario ffortiwn ar lenni a falansiau i'r ffenestri hirion. Ac mi oedd hi'n cael y fantais o ehangder y lawntiau y tu allan, heb dalu mwy na chwarter y gost o'u cynnal.

Go brin y byddai hi wedi cael lle felly wedi iddi symud i Fryste. Mi allwn ei dychmygu hi mewn tŷ tref, fel y mae'r iypis 'ma'n ei alw fo—tŷ agored ar dri llawr, a'r carped trwchus, unlliw yn eich arwain chi'n hudolus o un gilfach gymen i'r llall.

Roeddwn i'n falch nad oedd hi wedi cynnig dod yr holl ffordd i Lantalwrn i ymweld â mi. Mi fyddai hi'n fy ngweld i'n od yn byw mewn tyddyn heb ei foderneiddio, a hwnnw'n edrych yn ddigon llwm yn y gaeaf. Ac mi fyddai'n rhaid i minnau fod wrthi am wythnos cyn iddi ddod, yn sbriwsio'r lle. Wrth gwrs, roedd gen i esgus ar hyn o bryd, gan fod y plastar ar wal y gegin wedi mynd yn shwtrws, a minnau'n disgwyl i'r plastrwr ddod i roi trefn arno fo. Dyna'r drwg efo hen dai. Mae yna ryw ddarn ohonyn nhw yn dod i ben ei oes o hyd.

Wel, doedd gen i ddim esgus dros beidio â mynd i'w chyfarfod hi yn y Bwlch. Es i nôl cerdyn sgrifennu, a dewis yr un mwyaf chwaethus oedd gen i, o'r set brynais i gan Gymdeithas Diogelu Cymru Wledig.

'Diolch yn fawr am y cerdyn Nadolig a'r llythyr.' Beth wedyn? Bod yn boléit a chyfeillgar, heb roi'r argraff 'mod i wedi bod yn dyheu am gael sylw ganddi ar hyd y blynyddoedd? Roedd hi wedi rhoi digon o sylw i mi, chwarae teg, pan oeddwn i'n llygoden fach o athrawes, a hithau'n bennaeth adran. A'r fath bennaeth adran! Pawb yn crynu pan fyddai hi ar gefn ei cheffyl, dim cuddio,

14

dim esgus, dim maddeuant. 'Jean Brodie' oedd ei glasenw hi ymhlith y staff; 'yr hen Fagi' gan y plant.

Ond roedd yna ddwy ochr i'r geiniog. Os oedd Esther yn tramwyo'r ysgol fel tân yn puro, roedd hi yr un mor danbaid wrth achub cam. Gwae unrhyw swyddog o'r Adran Addysg a feiddiai gollfarnu. Fe gâi wybod yn fuan iawn am allu ysblennydd a rhinweddau pefriol 'ein hathrawon ni'.

Dw i ddim yn cofio'n iawn sut y daethom ni'n dwy i fod yn rhyw fath o ffrindiau. Wrth gwrs, roedden ni'n cael ein gwthio at ein gilydd hefo'r Fenter Iaith, ac yn mynd i gyfarfodydd yng Nghaerdydd ac i weithgareddau tebyg. Esther fyddai'n dreifio, am mai ganddi hi yr oedd y TR7. Fyddwn i ddim wedi bod mor hy â chynnig lifft iddi yn fy Ffordyn bach i; a ph'run bynnag, mi fydden ni wedi bod yn hwyr i bob cyfarfod, gan mor ochelgar yr oeddwn i'n dreifio. Doedd gen i ddim llai nag ofn hefo hi weithiau chwaith, yn gwneud naw deg milltir yr awr ar yr M4, ac yn fy rhoi i ar fy ngwyliadwriaeth i chwilio am y lamp las yn fflachio tu ôl i ni. Ond mi gawson ni dipyn o hwyl, at ei gilydd.

Arna i roedd y bai fy mod i'n teimlo'n annigonol mewn pwyllgorau. Anaml y byddwn i'n medru cael fy mhig i mewn, a theimlwn nad oeddwn i'n cynnal fy mhen i o'r baich. Doeddwn i ddim am ategu geiriau Esther o hyd chwaith, rhag i mi swnio fel carreg ateb. Ac am siarad yn ei herbyn hi, na ato Dduw! Wnaeth hi erioed fy meirniadu i, ond mi ddeudodd unwaith am rywun arall, 'Fase waeth iddi fod heb ddod. Agorodd hi mo'i cheg drwy'r pnawn'.

Ar y ffordd adre y bydden ni'n cynnal *post-mortem* ar y gweithgareddau. A dyna pryd y gwelais i ochr wahanol i Esther. Mi fyddai hi'n gofyn i mi, oedd hi wedi dweud y peth iawn? Wrth gwrs, fedrwn i ddweud dim ond bod ei chyfraniad hi wedi bod yn ysgubol, achos mi oedd o. Bob amser. A doedd hynny ddim yn gwneud y tro, achos doedd ganddi ddim eisiau i mi seboni iddi. Ond mi oedd arni eisiau i mi ei chalonogi hi. A dyna wnaeth i mi ddechrau meddwl fod gen innau rywbeth i'w gyfrannu. Mae'n od edrych yn ôl ar yr amser hwnnw, a minnau'n bennaeth adran fy hun rŵan, ac yn mynd ag athrawes iau hefo fi i bwyllgorau.

Fyddai gan Esther ddim ofn galw mewn tafarn am bryd o fwyd, peth na fyddwn i ddim wedi meiddio ei wneud ar fy mhen fy hun, yn y Gymru oedd ohoni. Erbyn meddwl, dw innau wedi newid erbyn hyn. Ar y pryd, roeddwn i'n gweld rhyw glamor o'i chwmpas hi am ei bod hi'n fy helpu i i gicio dros y tresi. Ac roedd hi mor siŵr ohoni ei hun. Dim ots p'un ai dyn ynteu merch oedd y tu ôl i'r bar, mi fyddai Esther yn cael sylw'n syth bìn. Wrth gwrs, roedd hi'n drawiadol yr olwg—yn dal, yn denau, a'r gwallt mirain mewn pleten Ffrengig ar ei gwegil. A doedd ei dillad hi ddim wedi dod o'r farchnad leol chwaith.

Synnodd neb pan gafodd Esther swydd ym Mryste, gyda chysylltiad â'r Brifysgol. Welson ni mohoni wedyn, ond mi glywson ei henw hi o bryd i'w gilydd, yn siarad mewn cynadleddau ac yn sgwennu i gylchgronau. Mynd o nerth i nerth. Beth arall oedd i'w ddisgwyl?

Dyma od, wir, iddi sgwennu fel hyn ataf i rŵan, ac awgrymu cyfarfod. Daeth rhyw satan bach i'm meddwl i i ddweud nad oedd raid i mi fynd—doedd gen i ddim angen nawdd Esther bellach. Ond na, doedd dim eisiau bod yn bwdlyd. Os oedd Esther wedi golchi'r llawr hefo fi ambell waith, arna i roedd y bai am fod yn gerpyn. Mi fydden ni ar delerau gwahanol rŵan. Mi sgwennais a chynnig y Sadwrn olaf yn Ionawr.

Fi oedd yno gyntaf, ac mi gefais amser i sawru'r amgylchedd. Roeddwn i wedi gwisgo mor bwerus ag y gallwn i, ond doedd dim chwarter y graen arna i ag oedd ar staff y gwesty. A gan nad oeddwn i'n fy ngweld fy hun, mi oeddwn i'n gallu dychmygu fy mod i'n edrych 'run fath â hwythau, a'm bod innau'n un o'r bobl hardd. A phan ddaeth Esther, estynnodd ei glamor hi drosof i, ac mi ddechreuais ymdoddi i'r rôl o ddifri. Roedd hi mewn siwt o felfed tenau, a honno'n lapio'n llac amdani hefo'r gelfyddyd sy'n cuddio celfyddyd. Allech chi ddim dweud p'run ai piws ai brown oedd y lliw, ond roedd o'n wrthlen berffaith i'r wawr goch yn y gwallt golau.

Fel pe bai dewines wedi cyffwrdd ei hudlath, ymddangosodd dau wydraid o win gwyn o'n blaenau. Roedden ni'n dwy yn siarad, yn dweud yr un peth ar yr un pryd.

'Wel, wel, ar ôl yr holl amser!'

'Grêt dy weld di.'

'Dwyt ti ddim wedi newid dim!'

Roedd Esther am gael gwybod popeth am yr hen ysgol. Sut un oedd y prifathro newydd? Beth am y cynlluniau am estyniad? Oni ddylen ni fynnu cael lle teidi i weithio ynddo fo? Doedd adeiladau ceiniog-a-dimai yn ddim ond sarhad arnon ni a'r gwaith. Pa bryd y bydd athrawon yn cael y parch y maen nhw'n ei haeddu? Ardderchog, yntê, bod Rheinallt Wyn wedi ennill cystadleuaeth Cerddor Ifanc y Flwyddyn, dim ond am ei fod o wedi cael cychwyn da yn yr ysgol? Oedd y Cyfarwyddwr yn cwffio droston ni? Dipyn o ameniwr fyddai o'n arfer bod cyn iddo fe gael ei ddyrchafiad. A doedd o'n drist am John Price? Mi fyddai o wedi gwneud gwell Cyfarwyddwr o lawer petai o wedi cael byw. A beth am yr archwiliad yn yr ysgol y llynedd?

Dw i ddim yn siŵr beth oedd wedi llacio fy nhafod i, ai'r gwin, yr awyrgylch, neu ddiddordeb Esther. Debycach mai ei bwrlwm hi oedd yn fy nghario i hefo'r llif. Ond yn sydyn roeddwn i'n teimlo fel Homer, yn adrodd epig y deng mlynedd diwethaf yn fy mywyd i a bywyd yr ysgol. Roedd trafferthion y cwricwlwm a'r archwiliad yn magu naws arwrol wrth i mi eu hadrodd nhw. Ac mi oeddwn i'n teimlo rhyddhad o'r dweud, fel plentyn yn dod â'i blastrad o lun adre o'r ysgol feithrin a galw ar ei fam, 'sbïwch be dw i 'di neud heddiw!' Daliais ati, a bwyta'r afocado a'r eog heb sylwi ar y blas, cyn sylweddoli nad oeddwn i ddim wedi holi o gwbl am fywyd Esther ym Mryste. Roedd ei hateb hi'n hollol foesgar.

'Na, mi oedd gen i gymaint o eisio clywed eich hynt a'ch helynt chi i gyd yn yr hen le. Dw i wedi dyheu cymaint am ddod yn ôl i'ch gweld chi—a dw i'n disgwyl y bydda i'n cael digon o gyfle cyn bo hir—ond yn y cyfamser mae rhywbeth wedi fy rhwystro bob tro dw i wedi meddwl am gael dod.'

Roedd gen i awydd gofyn beth oedd ystyr 'digon o gyfle cyn bo hir', ond chefais i wneud dim mwy na chodi fy aeliau cyn i Esther fynd ymlaen.

'Mae'r Pwyllgor Cydlynu wedi mynd â chymaint o amser ac egni. Fuaset ti ddim yn credu. Achos mae yna rymoedd adweithiol i'w hymladd bob cam—wyt ti wedi clywed sôn am Harri Mortimer, pennaeth . . .' Nid sgwrs oedden ni'n ei chael ond drama, hanes ymdrechion un ferch i lesteirio gweithrediadau'r fall. Roeddwn i'n gwrando'n gegrwth fel y byddwn i'n arfer ei wneud, ac yn cael digon o waith cynnig atebion bach addas, edmygus heb fod yn ffals. Gwibiodd yr amser heibio. Llanwyd y cwpanau coffi dro ar ôl tro.

Ac eto, doeddwn i ddim yn gwrando'n union fel y byddwn i erstalwm. Wedi'r cwbl, doedd yna ddim pwysau arna i i fod yn deyrngar bellach, ac yr oedd hynny'n gadael cornel fach rydd yn fy meddwl i. Dechreuais feddwl sut y byddai cymeriadau eraill y ddrama'n gweld pethau, petaen nhw'n cael y cyfle i ddweud eu dweud. Na, mae'n siŵr eu bod hwythau o dan yr hud hefyd. Pwy fedrai fynd yn erbyn Esther, a hithau mor danbaid, mor huawdl, ac yn llygad ei lle? Ac mor ddeniadol! Ond mi sylwais i fod ei hwyneb hi'n teneuo fymryn, ac yn argoeli bod yn esgyrnog cyn bo hir. Doedd y gwallt erioed yn teneuo hefyd? Hwyrach mai ei liw o oedd yn pylu. Llusgais fy meddwl yn ôl at y sgwrs, a cheisio gofyn rhywbeth call.

'Wedyn, be sy'n debygol o ddigwydd y flwyddyn nesa?'

'Duw a ŵyr! Y pethaf mwyaf anodd i mi fydd gollwng gafael, a dweud "rhyngoch chi a'ch potes!" Mae'n eitha posib mai dyma'r amser iawn i mi ymddeol.'

Wyddwn i ar y ddaear beth i'w ddweud. Well i mi fod yn ofalus.

'Ymddeol! Ddim eto, does bosib?'

'Dw i'n cael fy nhynnu ddwy ffordd. Ar un wedd, 'sgin i ddim eisio gadael pethau ar eu canol. Ar y llaw arall, dw i wedi rhoi blynyddoedd gorau fy mywyd i godi safonau mewn Addysg, ac i beth, os dw i'n mynd i gael fy rhwystro gan bobl dwp, ddiegwyddor, hunan-geisiol?'

19

Roedd gen i syniad beth i'w ddweud rŵan.

'Ond ar ôl cymaint wyt ti wedi'i wneud?'

Mi ges wên fach am hyn, a llaw ar fy mraich.

'Wyst ti, mae'n chwith gen i amdanat ti. Mi fyddwn i'n cael lot o help wrth fownsio syniadau arnat ti. Gawson ni lot o hwyl, yndo? Rhaid i ni gyfarfod eto cyn bo hir.'

Ymhen amser wedyn, mi fyddwn i'n edrych yn ôl ar y funud honno fel carreg filltir. A minnau hanner ffordd rhwng deugain a hanner cant, dyna pryd y cefais i'r hyder i gynnig croeso fy nghartref fel ag y mae o. Beth oedd ots os nad o'n i'n byw mewn palas?

'Pam na ddoi di acw? Tyrd dros nos, i ni gael sgwrs iawn. Gad i ni drefnu rŵan, cyn i ddim byd ddod ar draws. Pryd mae gen ti benwythnos rydd?'

Wrth ddweud y geiriau, roeddwn i'n disgwyl petruster, esgus neu ymddiheuriad. Fyddai Esther byth heb gynhadledd neu bwyllgor i lenwi ei phenwythnosau, neu adroddiad pwysig i'w orffen. Prin y gallwn i gredu ei bod hi'n gwenu'n eiddgar ac yn dweud,

'Faswn i wrth fy modd. Beth am bythefnos i rŵan?'

A dyma ni'n dwy yn dechrau chwerthin, ac yn hel ein pethau at fynd adref, fel petai'r agenda wedi ei chyflawni.

Mi fues i'n cnoi cil ar bethau ar hyd y ffordd adre, a meddwl yn y diwedd hwyrach fod gen i ffrind wedi'r cwbl.

Dau Wely

Bywyd rhyfedd ydi o fan hyn. Mae'r nyrsys yma'n edrych arna i fel un o'r celfi. Dwi'n sownd fel cwpwrdd cornel, ac mae pob peth yn digwydd o 'nghwmpas i. Ar wahân i glebran y nyrsys, yr unig greadur byw rydw i'n ei weld ydi'r sawl sy yn y gwely arall. Ambell dro, mi fydd yna hen wraig yno am wythnos neu ddwy. *Respite care* maen nhw'n ei alw fo. Weithiau, mae yna rywun yno am fisoedd. Mewn ffordd, dw i'n mwynhau cael dod i nabod rhywun. Mae'n well na byw hefo pedair wal. Ond mae nabod yn gallu bod yn boen. Y coblyn ydi, na fedra i ddim sleifio allan am hanner awr, na hyd yn oed ddengid i'r tŷ bach pan fydda i wedi laru'n llwyr. Felly, does dim amdani ond gwrando arnyn nhw'n rhygnu ymlaen.

A rhygnu y maen nhw. Dyna i chi Olwen, sy newydd farw rŵan. Wel, Mrs Price oedd hi'n hoffi cael ei galw. Un o'i chas bethau hi oedd y nyrsys yn ei galw hi'n Olwen. Ac yn y dechrau doedd hi ddim yn gwybod sut i ddweud wrthyn nhw am beidio, ac mi fyddai hi'n gwenu'n fain arnyn nhw ac yn cwyno wrtha i wedi iddyn nhw fynd allan.

'Genod bach digywilydd,' fyddai hi'n ddweud.

Mi geisiais i egluro iddi hi. 'Dw i'n meddwl bod y nyrsys yn cael 'u dysgu i alw enwau cynta ar bawb,' meddwn yn gynnil. Doeddwn i ddim yn nabod Olwen y pryd hynny, neu mi faswn i wedi gwybod yn well na dadlau hefo hi. 'Mae'r rheolwr yn rhoi pwyslais mawr ar greu awyrgylch cartrefol yn yr ysbyty.' Mi ddaeth hynny â thân poeth i lawr am fy mhen i.

'Rheolwyr! Pwy maen *nhw*'n feddwl ydyn nhw, tybed?'

Chwiliais am rywbeth saff i'w ddweud.

'Ia, mae pethe wedi newid, yntydyn?'

'Newid! Faswn i'n meddwl wir. Ac nid er gwell chwaith. Wrth gwrs, mae rhai pobl yn meddwl nad oes dim isio safonau, ond wyddoch chi, Mrs Hughes—Mrs Hughes ydi'ch enw chi, yntê—wyddoch chi, pobl ydyn nhw sy ddim yn gwybod dim gwell. Dydyn nhw ddim wedi cael y manteision rydw i wedi'u cael, er enghraifft. Ydech chi'n gwybod be dw i'n 'i feddwl? Wel, dwi'n ceisio bod yn foesgar fel arfer, ond dydi seboni ddim yn hawdd i mi.'

'Wel ia, siŵr iawn,' atebais yn wyliadwrus. Mae'n rhaid ei bod hi wedi cymryd fy mod i'n cyd-fynd â hi, achos mi aeth yn ei blaen.

'Wyddoch chi, mae ediwcêshyn wedi bod yn bwysig iawn yn ein teulu ni, erioed. Mi fyddai Nhad bob amser yn dweud: "Os cei di ediwcêshyn, 'y ngeneth i, feder neb edrych i lawr 'i drwyn arnat ti wedyn." Fase fo wedi licio i mi aros yn yr ysgol ar ôl ffortîn, ond mi ddaru Miss Jones London House grefu ar fy mam i adael i mi fynd yn *milliner*. "Mae Olwen mor *chic*," medde hi, "mi fase hi'n codi *tone* yr *establishment* yma." Ydech chi'n gwybod be dw i'n 'i feddwl?'

Roeddwn i wedi deall erbyn hyn nad oedd dim gofyn i mi ddweud llawer, dim ond 'siŵr iawn' neu 'ia, ia' bob hyn a hyn. Ond roeddwn i'n ceisio gweld Olwen fel hogan ysgol yn dechrau gweithio yn y siop *milliners*, ac yn dynwared ei chwsmeriaid crand. Sut yr âi hi ati, tybed, i edrych yn *chic*? Rholio'i gwallt hir ar dop ei phen yn un peth, mae'n siŵr. Ac wrth gwrs, dyna oedd Olwen yn ei wneud rŵan, pan fyddai gan y nyrsys amser i'w helpu hi i wneud pleten ac i sodro honno yn ei lle gyda dwsinau o binnau. Pan ddaethai hi i mewn i'r ysbyty roedd ei gwallt hi'n frown hefo mymryn o goch ynddo fo, ond erbyn hyn roedd y rhan fwyaf o'r brown wedi tyfu allan. Ac roedd ei gwallt hi mor denau, druan! Doeddwn i ddim yn gweld llawer ar ôl o'r eneth ifanc *chic*, ac eithrio o bosib y fflach yn y llygaid glas, a rhywbeth ymbilgar yn y wên. Roedd hi'n dal i rygnu ymlaen.

'Mi ddysgais i lot yn London House, achos mi oedd y *ladies* oedd yn dod i mewn *yn ladies* y dyddiau hynny. Ac mi fyddai Miss Jones yn ofalus iawn hefo'r *little niceties*, 'dech chi'n gwybod be dw i'n 'i feddwl? Fase hi byth yn galw Olwen arna i o flaen y cwsmeriaid. O na! "*Miss Roberts will position the velvet bow for you, madam.*" Miss Roberts oeddwn i cyn priodi, wrth gwrs.

'Ond am enethod y dyddiau yma, O diar mi! Dim parch. Meddwl 'u hunain. Galw "Olwen" arna i fel taswn i'n hen wreigan fach dlawd. Tasen nhw ddim ond yn gwybod! Dwi wedi gweld lot mwy ar y byd na welan nhw byth. Yndw cofiwch. Mae gen i luniau yn rhywle. Mi fasech chi wrth eich bodd yn eu gweld nhw. Dyma un o fy ngŵr a finne tu allan i'r Eiffel Tower. Yn Paris, wrth gwrs. Y tro nesa y daw y nyrs i mewn mi ofynna i iddi ddŵad â'r lluniau draw atoch chi. Mi oeddwn i'n lwcus iawn yn fy ngŵr, wyddoch chi. Mi oedd o'n gymaint o *gentleman*!' Llanwodd y llygaid glas. 'O, mae'r atgofion . . ! Dwi mor ofnadwy o unig hebddo fo. Wedi colli'ch gŵr ydech chithau hefyd, mae'n debyg.'

Dwi erioed wedi bod yn un am sesiwn ddagreuol hefo merched eraill.

'Wel, ia, ond mae hynny'n bell yn ôl erbyn hyn,' meddwn. Doedd dim rhaid imi boeni. Petawn i wedi dechrau dweud hanes fy mywyd wrthi hi, fase hi ddim wedi gwrando. Roedd hi wedi dechrau sôn am ei phlant.

'Mae gen i un mab yn y *Marines*, wyddoch chi. Ia, a mae gen i lun ohono fo yn y *Passing Out Parade*. Yr unig biti ydi'i fod o wedi priodi geneth fach sy ddim hanner digon da iddo fo. Hen beth fach gastiog oedd hi erioed. Roedd hi'n benderfynol o'i gael o. Wrth gwrs, fedra i ddim synnu at hynny. Mae o'n hogyn mor smart. Ac wedi cael ediwcêshyn. Mi ddaru ni wneud yn siŵr 'i fod o'n cael mynd i'r *Grammar School*. Ac mi oedd gen i isio iddo fo aros i gael ei *school certificate*, ond roedd arni hi, *madam*, isio iddo fo ddechrau ennill. Hi berswadiodd o i fynd i'r armi. A gynted bydde fo'n cyrraedd adre ar *leave*, mi fyddai hi ar stepan y drws. Gwnaeth lais sbeitlyd, "Ydi Hugh yma, Mrs Price?" Y gnawes fach. Roedd hi am wneud yn siŵr nad oedd o'n gweld yr un eneth arall heb ei bod hi'n hongian ar 'i fraich o. Ond be fedrwn i 'i wneud? A wyddoch chi be? Mi ddaru nhw briodi heb i mi wybod dim. Y peth cynta wyddwn i oedd y ddau'n cyrraedd y tŷ rhyw bnawn, a Hugh yn dweud, "'Den ni newydd briodi, Mam".' Gostyngodd ei llais yn gyfrinachol. 'Rhyngthoch chi a fi, dwi'n meddwl 'i bod hi wedi chwarae tric arno fo— 'dech chi'n gwybod be dw i'n 'i feddwl. Achos does gynnyn nhw ddim plant. A dwi'm yn meddwl 'u bod nhw'n hapus. Synnwn i ddim tasen nhw'n cael *divorce*.'

Wyddwn i ddim beth i'w ddweud. Troi'r stori fyddai orau hwyrach.

'Ond mae gynnoch chi fab arall, yndoes?'

'O oes. Mae o mewn busnes mawr yn Manchester. Wedi gwneud yn dda iawn, wyddoch chi. Cael car mawr gan y cwmni, a'i newid o bob blwyddyn! Mae ganddyn nhw ddau o blant hefyd. Mynd i *private school*. Faswn

24

i'n licio'u gweld nhw'n amlach, ond dydi Tracy ddim yn licio dŵad i Gymru. *Abroad* maen nhw'n licio mynd. Dipyn yn *stuck-up* ydi Tracy, a dweud y gwir.

'Wyddoch chi, dydw i ddim wedi cael *chat* fel hyn ers 'dwn i ddim pryd. Dwi'n teimlo bod ni'n hen ffrindie. Ydech chi'n teimlo felly? Dwi'n teimlo y galla i ddweud unrhyw beth wrthoch chi. Ond mi ddeuda i wrthoch chi be ddeudodd y Tracy yna un tro, sy'n dangos mor *ignorant* ydi hi. Pan gafodd Alex y swydd hefo'r cwmni teledu y deudodd hi, "*Oh yes*," medde hi, "*he's done well, considering his background.*" Wel, glywsoch chi beth mor ofnadwy i'w ddweud erioed? Jest dangos sut beth ydi hi! *Background*, wir! Be sy gyni *hi* i ganu'i chloch amdano fo?'

Dau fis fu Olwen Price yn y gwely yna. Mi glywais i yr un hen druth ganddi bron bob dydd. A doedd hi byth yn peidio â dwcud wrtha i mor falch oedd hi o gael ffrind o'r diwedd, a honno'n ffrind y gallai hi ddweud pob peth wrthi. A be fedrwn i ei wneud wedyn, ond cogio fy mod i'n gwrando, ac yn cydymdeimlo? Dw i'n falch fy mod i wedi medru gwneud un gymwynas â hi. Drwy ddweud ei henw, Mrs Price, hefo pwyslais arwyddocaol, a thaflu winc ar y nyrsys y tu ôl i gefn Olwen druan, mi lwyddais i'w cael nhw i roi ei theitl a'i dyledus barch iddi. Mi roeddwn i'n falch ei bod hi wedi cael y cysur hwnnw, cyn i'w meddwl hi ddirywio gormod. Erbyn yr wythnos olaf, roedd hi'n reit ddryslyd. Roedd hi'n mynd i sôn fwy a mwy am ei thad a'i mam, a'i phlentyndod. Roeddwn i'n cael trafferth i'w deall hi'n siarad hefyd, gan ei bod hi'n mynd a dod rhwng cwsg ac effro. Hanner gwrando yr oeddwn i, ond un tro mi'i chlywais hi'n dweud rhywbeth newydd.

'Peth garw oedd bod yn blentyn yn Rotland Road,'

25

meddai. 'Slyms y dre erstalwm. Dw i'n gomon. Dene be sy arna i. Dw i'n gomon.'

A chrio wnaeth hi wedyn. Mi ofynnais i'r nyrs symud fy ngwely i, er mwyn i mi fod wrth ei hochor hi, ond dw i ddim yn meddwl ei bod hi'n gwybod fy mod i yno. Ddeudodd hi ddim byd ar ôl hynny. Pan ddaeth y teulu i edrych amdani, chymerodd hi ddim sylw ohonyn nhw, a wnaethon nhw ddim aros yn hir. Mi fu hi farw yn y nos heb i mi wybod. Ond wrth dacluso'r corff bore drannoeth, fe drefnodd y nyrsys ei gwallt hi'n ddwy bleten wen ar dop ei phen hi.

Marina

Safodd y plentyn yn stond, ei lygaid wedi'u hoelio ar y ddynes od oedd yn dod ato gan gynnig ysgwyd llaw. Roedd o'n bictiwr o blentyn, gyda'i lygaid glas a'i wyneb gloyw dan dorch o wallt golau. Yn ôl fy arfer o ddisgrifio pobl yn fy mhen, roeddwn yn chwarae â geiriau fel 'breintiedig, hardd, ysbrydol, euraid'.

Wrth i'r bachgen sefyll mor syn ynghanol y dorf aflonydd, gwelais ddwy fenyw, mewn cotiau *Barbour*, yn arafu cu cam y tu ôl iddo. Trodd yr ieuengaf o'r ddwy at y llall gyda'r awgrym lleiaf o rybudd yn ei gwên.

'Gadwch iddo fo, Mam. Mae trip i'r sw yn addysg iddo fo mewn mwy nag un ffordd. Mae Iorwerth a finna am iddo fo ddysgu cyfathrebu â phobl o bob math, gwreng a bonedd. Gawn ni weld beth mae'r ddynes druan yma yn dreio'i wneud.'

Cadwodd y ddwy y tu ôl i'r bachgen, fel adar y to yn gwthio cyw dros y nyth. Sefais innau tua'r un pellter y tu ôl i Marina. Ei gwthio hi dros y nyth oedd fy ngwaith innau hefyd, ond fy mod i'n cael fy nhalu am wneud. Dyma'r tro cyntaf iddi fod ymhellach na Dinbych er pan ddaethai allan o'r ysbyty dri mis yn ôl. Wrth gwrs, roedd hi wedi arfer mynd yma ac acw mewn llond siarabáng o gleifion, ond doedd hynny ddim yr un peth o gwbl. Roedd heddiw yn her iddi.

Roedd hi wedi bod yn edrych ymlaen ers wythnosau, fel y byddwn innau'n edrych ymlaen at drip ysgol Sul pan oeddwn i'n ifanc. Y cwestiwn mawr i Marina oedd, beth oedd hi'n mynd i'w wisgo? Un nod oedd gen i yn fy ngwaith oedd ei chael hi i wisgo'n fwy cyfoes. Roedd y blynyddoedd gwarchodol wedi ei gadael hi heb fawr o glem am ffasiwn, a minnau'n ei hannog hi i beidio â rhuthro i wario gormod nes iddi fagu ei chwaeth ei hun. P'run bynnag, roedd ganddi gelc o ddillad ei mam, wedi eu gadael iddi ugain mlynedd yn ôl. Soniai amdanyn nhw fel pe bai hi wedi cael gemau'r goron, yn enwedig am y siaced fach ffwr. Cawswn fymryn o drafferth i roi ar ddeall iddi na wnâi honno'r tro ar gyfer trip i'r sw.

'Dw i am wisgo'r *cocktail dress* yma,' meddai hi wedi wythnos o bendroni. 'Mae pawb yn dweud 'mod i'n edrych yn neis mewn *turquoise*.'

'Wel, wyt,' meddwn innau'n ofalus. 'Yr unig beth ydi, mae'r ffrog yna'n ddélicet iawn. Faset ti ddim yn well yn dy sgert las?'

Wnaeth hi ddim dadlau, ond roedd hi'n edrych mor dorcalonnus, mi gytunais i i'r ffrog. Gwir, yr oedd y lliw yn dangos ei gwallt coch a'i chroen hufennaidd ar eu gorau. Hawdd gweld ei bod hi wedi bod yn dlws, ac y gallai fod felly eto, pe bai ganddi ychydig mwy o'i chwmpas. Yr olwg ymddiheurol arni oedd un o'r pethau oedd yn ei herbyn hi, ac un o'r pethau yr hoffwn i eu newid.

Dyna pam yr oeddwn i'n gorfod bod mor ofalus o hyd i osgoi unrhyw iot o feirniadaeth. Roedd ei symud hi a'r ddwy arall i'r tŷ ym Maes-y-Coed wedi bod yn straen ar bawb, er bod staff yr ysbyty wedi bod yn eu paratoi ers misoedd. Doedd yr un o'r tair wedi arfer rhannu gwaith tŷ, ac fe godai ffrae ar ddim. Un tro, wedi i un o'r lleill achwyn fod rhimyn o lefrith heb ei olchi'n lân o'r sosban goco, aethai Marina i'w gwely am dridiau. Fy ngwaith anoddaf i oedd cadw'r heddwch.

Fy ngofal arall i oedd cadw'r ddysgl yn wastad rhyngom ni a'n cymdogion. Y cwpl sidêt y drws nesaf,

28

er enghraifft. Byddent yn fy nghanmol i am aberthu fy mywyd, fel yr oeddynt hwy'n ei gweld hi, i ofalu am yr anffodusion. Un diwrnod daeth y wraig ataf yn gyfrinachol iawn a dweud, 'Fasech chi'n meindio gadael i mi wybod os bydd eich *charges* chi'n mynd allan am y diwrnod rhyw dro? Mi fase'n gyfle i mi gael mynd i'r ardd. Dw i'n teimlo'n fwy rhydd pan fyddan nhw ddim o gwmpas. Dw i'n siŵr eich bod chi'n dallt.'

Felly roeddwn i wedi dweud wrth Marina mai pobl breifat iawn oedd yn byw drws nesaf, ac mai'r peth gorau fyddai peidio â tharfu dim arnynt.

'Ond mae 'na ddyn diarth yno,' meddai hithau. 'Dw i wedi siarad hefo fo. Dyn neis iawn. Oedd o'n dweud ei fod o'n falch iawn 'mod i wedi dod i fyw yma. Mae o bob amser yn stopio i siarad. Mae o'n mwynhau sgwrsio hefo fi.'

Fe wyddwn fod brawd Mrs Prydderch yn aros y drws nesaf tra oedd yn prynu tŷ yn y dre ac yn aros i'w deulu ddod ato. Dyn yn perthyn i ryw sect efengylaidd, yn ôl y sôn, yn dangos ei gariad Cristnogol at bawb. Chwysais wrth feddwl mor hawdd fyddai i Marina gamddeall ei agosatrwydd, a rhoi achos i Mrs Prydderch fagu amheuon tywyll.

Nid problem yn codi o'r symud i'r dref oedd hyn. Yr un fath oedd Marina pan oedd hi'n byw yn yr ysbyty. Un tro, pan ddaeth cynrychiolwyr y Cyngor Iechyd Cymuned ar eu hymweliad blynyddol, dywedodd wrthynt fod y Prif Fferyllydd yn ei hedmygu hi'n fawr, ac yn cymysgu moddion arbennig iddi hi. Doedd ganddi mo'r bwriad lleiaf o achosi helynt. Diniweidrwydd oedd ei phechod.

Am wn i mai dyna oedd wrth wraidd ei salwch hi yn y lle cyntaf, yr holl flynyddoedd hynny'n ôl. Doedd hi ddim wedi deall ei bod hi'n feichiog, a doedd y fath bosibilrwydd ddim wedi ei gynnig ei hun i'w rhieni, nes gorfod galw'r meddyg ar frys ganol nos. Cafodd y peth effaith ddofn ar y teulu. Bu'r fam, a wrthododd fod yn nain, yn ei gwely am fisoedd, ac yn ddibynnol ar dawelyddion am weddill ei hoes. Doedd gan Marina fawr o ddim i'w ddweud am yr hanes, dim ond 'ddaru'r nyrs addo y byddai o'n cael cartre da, cael ei fagu'n ŵr bonheddig'.

Doedd hi ddim wedi bod yn anhapus yn yr ysbyty, nac yn llawn hyder wrth wynebu ei bywyd newydd. Siglai o hyd rhwng gorfoledd ac ofn. Dyna pam yr oeddwn i'n sefyll y tu ôl iddi, mewn torf o bobl a phlant mewn sw swnllyd, yn ei gwylio'n ceisio cael ei thraed dani yn y byd dieithr yma. Ond roedd hi wedi cael ei llygad-dynnu'n llwyr gan y plentyn euraid, a'i llonyddwch wedi cau amdanom ni ein pump, ef a'i deulu, hi a finnau. Roedden ni wedi ein neilltuo fel criw ffilm, Marina wedi ei fferru yn ei hosgo o estyn llaw i'r bachgen, yntau'n edrych arni hi mewn cyfaredd.

'*Take!*'

Heb newid ei drem, rhoddodd y bachgen ei law yn ei llaw hi. Gwyddai sut i gyflawni'r defodau.

'Bore da!' Cysurais fy hun fod Marina'n siarad yn ddigon boddhaol.

'Wyt ti am ddweud bore da wrth y foneddiges?' Y fam oedd yn annog.

'Bore da.' Swil, cwrtais.

'Wedi dŵad i'r sw?'

'Ia.

'Dw i 'di dŵad i'r sw hefyd.'

'Ia.'

Nogiodd y sgwrs. Doedd Marina ddim wedi gollwng llaw y bachgen. Daeth y nain i'r adwy.

'Dwed pa anifeiliaid wyt ti wedi eu gweld.'

'Llewod.'

Penderfynais y byddai'n well i minnau wneud cyfraniad.

''Den ni wedi bod yn gweld y llewod hefyd. Yndo, Marina?' Y munud yr oeddwn wedi siarad, sylweddolais fy mod innau wedi bod yn nawddoglyd, ac wedi datgelu fy swyddogaeth. Ta waeth. Haws cynnal y sgwrs wedyn.

'P'run oedd orau gen ti, y llewod ynteu'r morloi?'

'Lwc ei bod hi'n braf, yntê?'

'Ble'r awn ni nesa?'

'Mwynhewch eich diwrnod!'

'Diolch. A chithau.'

O'r diwedd, gollyngodd Marina law yr hogyn. Gyda gwenau caredig, a llawer i 'Hwyl i chi rŵan!' diflannodd y teulu yn y dorf.

'*Cut!*'

Trodd Marina'n ôl ataf i, ei llygaid yn disgleirio, a gwên nefolaidd ar ei hwyneb.

'*Doedd* o'n hogyn neis!' Aeth ymlaen yn orfoleddus, fuddugoliaethus. 'A *fo* ddaeth ata *i* i wneud ffrindiau!'

Y Ddoli

'Mae gen ti un presant ar ôl, wel'di. Be wyt ti'n feddwl ydi o? Sbia, mae 'na ddau barsel wedi'u clymu ag un ruban.' Siaradai Maria braidd yn or-hwyliog, wrth weld Celia'n cymryd y parsel hefo gwên fach ufudd. On'd oedd plant yn medru bod yn ddwfn weithiau?

'Os tynni di'r ruban yn ofalus, mi gei di'i gadw fo yn dy lofft. Hwyrach y medrwn ni wneud bwa neu roséd i'w roi ar ochor y drych. Mae gen ti isio pethau del yn dy lofft, yn does?'

Byseddodd Celia y parsel lleia o'r ddau. Siâp bocs sgidie, ond ei fod o'n fwy. Doedd o ddim yn debyg iawn i siâp ffon bogo. Roedd hi wedi gobeithio . . . O, wel. Roedd ei mam yn dal i frwdfrydu.

'Wyt ti'n licio'r papur? Pinc, wel'di, i fynd hefo'r ruban, a sêr aur yn sgleinio drosto fo i gyd. Geith Mami dorri'r ymyl i ti hefo siswrn?'

Doli oedd yn y parsel. Doli arall, i'w rhoi hefo'r rhesi o ddoliau ar silffoedd y llofft. Am a wyddai Celia, roedd doli'n perthyn i ben-blwydd yr un fath â'r cardiau a'r gacen, felly gwenu'n ddigyffro wnaeth hi; ond fe dynnodd y ddol o'r bocs fel petai hi wedi arfer codi baban o'r crud. Gwenodd Maria ei gwên fach fodlon. Eisteddodd Celia ar y bag ffa, gan ymestyn ei choesau'n syth o'i blaen a gosod y ddol ar eu hyd i'w byseddu'n iawn. Gwelodd fod modd diosg y pwt o sgert ddu, a datod y top bach rhesog o'r tu ôl; ond ffug oedd y careiau ar ysgwyddau'r crys-T bach gwyn.

'Fase ddim yn well i ti agor y parsel arall? Gymra i'r papur gynnat ti. Dyna ti, rŵan. Be 'di hwn? Nid bocs ydi o, nage? Sbia ar yr ochor yma, y ffrynt. Patrwm tlws wedi'i beintio'n aur, a dolen fach bres ar y canol.'

'Drôr!' O'r diwedd, synnwyd Celia allan o'i syrthni. Doedd hi erioed wedi cael llond drôr o ddillad doli o'r blaen. Chwalodd drwy'r crysau-T, y jîns, y siacedi denim, y ffrogiau cwta syth.

'Gei di hwyl fawr yn gwneud *mix 'n' match*, yn cei? Mi fydd hynny'n bractis i ti erbyn y byddi di'n dewis dy ddillad dy hun.' Tynnodd Maria yn yr ymyl aur ar odre ei siwmper wen ei hun, a'i smwddio dros ei throwsus gwyn.

'Be am ddewis rhwbeth i'w roi am y ddoli erbyn y parti pnawn yma? Sbia, mae 'na un peth wedi'i lapio ar wahân. Sbesial, mac'n siŵr, yntê? Drycha, oes 'na ffrog barti ynddo fo?'

Ac mi roedd. Ffrog binc laes, heb ddim ysgwyddau, ond â rhesi o ffriliau ar y sgert, y ruban o binc dyfnach am y wasg. Roedd ymyl y ffril isaf yn grychau tonnog, a drych bach fel pen pìn yn sgleinio rhwng pob crych.

'Dyna ti. Mi elli di roi'r ffrog barti amdani i weld ydi hi'n ffitio. A mi fydd raid i ti feddwl am enw, yn bydd? Beth am *Sindi*? Wel'di, mae gen Mami *secrets* yn y gegin am dipyn bach. Wnei di fod yn eneth dda ac aros yma i chwarae hefo dy bresante? Mi wna i alw arnat ti wedyn i fy helpu i i osod y bwrdd at y parti.'

A diflannodd Maria i orffen addurno'r gacen. Roedd hi'n darparu campwaith. Cylch o falerinas mewn gwisgoedd elyrch, a'r brif falerina ar bedestl o eisin yn y canol a garlantau o eisin pinc rownd yr ymyl. Mi fyddai'n ddigon o ryfeddod.

Ble roedd y minlliw pinc gwan hwnnw fyddai'n arfer mynd mor dda hefo'r ffrog dri lliw ar ddeg? Byddai gofyn clirio'r droriau colur a'u had-drefnu, er mwyn i liwiau cryf y gaeaf fynd o'r ffordd i wneud lle i bastelau'r haf. Byrlymodd meddyliau Maria ymlaen fel nant fach fodlon. Yn nrych ei bwrdd gwisgo, gwelodd ddrws lled-agored ei llofft yn symud, a Celia'n rhoi ei phen heibio iddo.

'Mami! Ga i wisgo'r rhein?' Yn ei llaw roedd pâr o ddyngarîs brown. 'Presant Anti Ruth. Dw i isio 'u trio nhw! Dw i isio 'u gwisgo nhw i'r parti!'

'Wel, na chei siŵr. Wnân nhw byth mo'r tro i *barti*, na wnân?' Chwarddodd Maria'n ysgafn. Fel yna y byddai hi'n arfer dwyn perswâd ar Celia. 'Meddylia, mi fydd y plant erill i gyd yn 'u dillad gora, a fase fo byth yn gwneud y tro i'r eneth ben-blwydd fod yn 'i dillad bob-dydd, nafse?'

'Ond 'di'r rhein ddim yn bob dydd. Maen nhw'n newydd!' Roedd Celia'n gafael yn y dyngarîs gerfydd y strap, gan edrych yn awyddus ar y brodwaith o lun beic ar y bìb.

'Wel, mi gei di 'u trio nhw heno—does 'na ddim amser rŵan—ac os ydyn nhw'n ffitio mi gei di 'u gwisgo nhw fory. Chwarae yn yr ardd fyddi di fory, mae'n siŵr. Tyd rŵan! Dw i wedi smwddio dy ffrog barti i ti!'

'Parti neis iawn!' Dyma'r rhiant olaf yn casglu ei chyw i fynd adre. 'Deud diolch yn fawr wrth mam Celia, ac am y falŵn, a'r bocs parti.'

Teimlodd Maria ei bod yn haeddu paned cyn dechrau clirio'r llanast. Fel yr oedd lwc, doedd dim byd wedi mynd o chwith, neb wedi ffraeo na thaflu jeli ar y papur wal. Roedd gan Celia swp o anrhegion eto heb eu hagor.

'Mi *oedd* o'n barti neis, yn doedd? Wnest ti joio? Roeddet ti'n edrych yn ddelach na neb. Chdi oedd seren

34

y pnawn, wsti, dim dowt am hynny. Lwc fawr dy fod ti wedi gwisgo dy ffrog binc, yn enwedig gan fod Diana wedi gwisgo'i ffrog las ffansi. Fel tase *hi*'n cael ei phen-blwydd! Oedd Beti'n edrych yn iawn yn ei ffrog forwr hefyd—mae un felly'n iawn i fynd i barti rhywun arall. Mi wna i brynu un iti at yr haf. Mi wnaiff yn iawn i fynd i lan y môr.'

Disgynnodd y nos ar Glos Lafant. Peidiodd y trydar beunyddiol wrth i'r trigolion ddiffodd eu setiau teledu, rhoi pob teliffon ar ei grud, a rhoi'r dydd yn ei wely. Tywyllodd ffenestri'r llofftydd a gadael i olau bwganllyd lamp y stryd sgleinio'n felyn ar y drysau. Dim ond ambell wyfyn oedd yn symud.

Ychydig o'r golau oedd yn treiddio trwy'r dail a'r tresi aur at ffenest Celia. Cysgu'n drwm yr oedd hi, ei breichiau'n ymrwyfo'n aflonydd weithiau allan o loches y cwrlid pinc. Wrth i'r nos ddyfnhau, cysgodd hithau'n drymach, ond cryfhaodd y plicio ysbeidiol ar ei breichiau i fod yn saethiadau sydyn hefo tagiad bach ar ei hanadl. Dechreuodd y doliau ymystwyrian i wrando. Rhoddodd Celia naid fach sydyn a throi oddi wrth y wal a'r silffoedd, gan furmur rhywbeth am . . . bresant? Sythodd y ddoli glwt.

'Mi o'n i'n bresant unwaith,' meddai hi'n bwdlyd.

'Ia, oes pys yn ôl, mi wn.' Llais syndod o ddwfn oedd gan Gretchen, y ddoli fach o'r Iseldiroedd hefo'i ffedog las a gwyn a'i chap starts.

'Dwyt ti ddim mor newydd dy hun,' meddai Geisha, gan smwddio'r *obi* dros ei chanol a moesymgrymu.

'O leia, dw i yn fy ngwlad fy hun,' meddai'r ddol Gymreig, gan wthio'i het uchel i gesail y ddol fflamenco, a chychwyn y clacers ar fynd. 'Pobl ddŵad ydech chi i gyd.'

Cyn bo hir, roedd pob un o'r doliau'n grwgnach, yn hwffian, yn torsythu ac yn pwtian nes bod y silffoedd yn berwi. Crynhôdd y sŵn fel taran yn magu nerth. Trodd Celia ar ei hochr arall gan dynnu'r cwrlid drosti.

'Hei, calliwch, 'newch chi? Dw i'n syrthio dros y dibyn!' ac aeth yr hen octopws druan dros ymyl y silff ucha bendramwnwgl i'r llawr, gan roi coes allan i geisio bachu ym mhob silff ar y ffordd. 'O'n i yma o'ch blaen chi i gyd. Mae gen i hawl i le!'

'Dyna lle ti'n methu, mêt!' Lizzie Jane oedd yn siarad, a'r lleill yn porthi. 'Wyt ti yma er pan oedd Celia'n fabi. Ddylet ti fod wedi mynd i'r ffair sborion ers ache. Pryd ddaru hi chwarae hefo ti ddiwetha? Mae hi'n eneth ysgol rŵan, neu dwyt ti ddim wedi sylwi? Dillad a gwallt a 'ballu ydi'i phethe hi rŵan, wsti. Mae o'n rhan o'i haddysg hi. Glywis i Mama'n deud.' Medrai Lizzie Jane ddoethinebu hefo'r gorau.

'Wel, fi feder 'i dysgu hi orau. Os meder hi ddawnsio hanner cystal â fi, mi allai hi fod yn fodel.' A rhoddodd y falerina lam enfawr i lanio ar droed y gwely a gwneud pirwét.

'A be wedyn, 'lly? Feder hi ddim bod yn fodel am byth, na feder? Mi fydd raid iddi gael gŵr rywbryd, yn bydd?' Ac fe gerddodd y briodasferch yn urddasol ar draws y bwrdd gwisgo gan fwmial ei hymdeithgan dan ei gwynt.

A daeth llais newydd a diarth i forio uwchben y lleill i gyd. Doedd neb wedi clywed siw na miw gan y ddoli newydd, oedd yn gorwedd yn gam ar draws y drôr o ddillad.

36

'Gwrandwch, y ffylied gwirion! Be tase gynni hi ddim isio twtw na ffrog felfed binc na gŵn briodasol? Be tase'n well gynni hi dyngarîs?' A dechreuodd y ddoli rwygo ei ffrog binc ffriliog oddi amdani, a thurio yn y drôr am rywbeth arall i'w wisgo. Cyn pen dim, roedd hanner dwsin o ddoliau eraill yn ei phwnio hi o'r ffordd ac yn chwalu am y gorau.

Taenodd y lleuad lawn ei golau arian dros lewyrch pres y lamp i led-oleuo Clos Lafant. Treiddiodd y gwawl drwy'r llenni sidan pinc.

''Di'r coch yna ddim yn gweddu i ti. Mae dy wyneb di'n biws!' meddai Gretchen yn ddeifiol wrth y falerina.

'Ac mae dy wyneb di fel uwd wedi llosgi,' oedd yr ateb fel bwled o wn.

Chwipiodd Celia y cwrlid oddi arni a neidio ar ei heistedd yn ei gwely. Roedd pob man yn binc, yn binc gludiog cyfoglyd, ac yn llawn o lyswennod piws yn cordeddu drwy'i gilydd. Ar y llawr roedd clwstwr o ellyllon, a chrechwen ar eu hwynebau ffosfforesgol, wrthi'n chwalu dillad fel pe baent mewn ymladdfa glustogau yn Annwn. Bachai'r dillad yn wythgoes yr octopws, oedd wedi chwyddo ddengwaith ac yn ysgubo'i bawennau dros y silffoedd a'r waliau. Rhasbiai a rhinciai'r sŵn fel rhathell ar ridyll.

Aeth breichiau a choesau Celia i bob cyfeiriad wrth iddi ymladd i ddianc o'r ffrwgwd. Syrthiodd o'r gwely a glanio'n swp ar y cruglwyth aflonydd ar lawr y llofft. Gwasgwyd y tedi-bêr nes iddo fygu, a dechreuodd y gloch ar ei frest ganu fel larwm. Deffrôdd Celia i glywed ei llais ei hun yn sgrechian, yn dal i sgrechian yn groch a diarbed, nes bod Clos Lafant i gyd yn diasbedain gan y sŵn.

Mudo

'Wel, dyma ni yn Sbaen! Sut wyt ti'n teimlo?' Roedd llais Denis yn orfoleddus. Taflodd ei siaced ar y gwely, taro'r paciau ar y rhesel, ac agor y ffenest yn llydan tua'r môr. Cododd ei wraig gerfydd ei gwasg a'i chwil-droi nes gwneud iddi sgrechian chwerthin. 'Dim chwaneg o glirio eira, dim chwaneg o ddreifio ar rew yn y gaea, wir, dim chwaneg o ddreifio i'r gwaith o gwbl. I ti, nac i mi. Tydi o'n grêt!'

'Y peth cynta dw i 'i isio i'r tŷ ydi llond berfa o fynawyd y bugail. Na, llond tair berfa, o leia. Rhai pinc, pinc tsieni, i gyd yr un lliw, i ni gael byw ynddyn nhw. Byw ar wely o belargonia, yn lle gwely o rosod.'

Dyna oedd syniad Kate o Sbaen. Heulwen a blodau. Blodau pinc ymlusgol yn gorchuddio waliau ac yn gorlifo dros bob man. A hithau'n nythu ynddynt, yn rhan o'r tlysni. Yn awr roedd hi'n mynd i gael hyn i gyd. Gwnaeth Denis ystumiau arni.

'Pwyll, pwyll, Mrs Jenkins. Fory y cewch chi oriad ych tŷ newydd, a dim munud cynt. Mynd i'r swyddfa cyn gynted ag y bydd honno'n agor yn y bore. Ew, dw i'n edrych ymlaen at hynny. Talu'r pres am y tŷ, ac wedyn mynd rownd y banciau ac agor cownt ym mhob un. Can mil yma ac acw, ac mi fyddwn ni'n iawn am yn hoes.'

''Dan ni'n mynd i gadw peth mewn arian parod, yn tyden—at y dodrefn a ballu?'

'Ho, ho, dyma ni'n dechre gwario!' Cusanodd hi'n frwd yn ei falchder. 'Faint 'sgin ti 'i isio, Mrs Rothschild?'

Roedd y ddau'n hapus y noson honno. Noson hapusaf eu bywyd priodasol, hyd yn hyn. Cawsant ddeunaw mlynedd o briodas, deunaw mlynedd o lafur, o roi pob gewyn ar waith i hybu'r busnes; ond pleser fu hynny, o weld y llwyddiant a ddeuai iddynt yn ddi-feth. Wedi agor yr ail siop, fu dim edrych yn ôl; a dyma nhw bellach, yn gynnar yn eu canol oed, wedi gwerthu busnes a gynhaliai ddeugain o siopau. Ac yn rhydd i fwynhau bywyd yn yr haul.

Weithiau byddai Denis yn poeni am Kate. Faint o siom oedd o iddi hi ei bod hi'n ddi-blant? Hi fyddai'n gwrthod trafod y peth, a hi oedd wedi bod yn gryf yn erbyn mabwysiadu. Wrth gwrs, roedd hi wedi gallu cadw'i hun yn siapus ac yn gymen, ac i'w gweld yn mwynhau hynny. Ac yn ystod y flwyddyn y bu hi'n faeres edrychai fel pe bai ei chwpan yn llawn.

Rhywbeth heriol, cyffrous oedd gadael y cyfan a dod i fyw yn Sotogrande. Denis oedd wedi cael y syniad yn gyntaf, a hithau'n ei blagio mai clwy canol oed oedd arno. Ychydig o argraff wnaeth ei ymdrechion cyntaf i'w chymell i dymor hud a miri haf; ond pan heriodd o hi i roi un rheswm da dros aros yn Lloegr weddill eu hoes, fedrai hi ddim cynnig un. A phan goll'son nhw drydan am ddeugain awr yn un o stormydd yr hydref, dyna'i diwedd hi. O'r funud y gwnaethant eu penderfyniad terfynol, bu'r ddau mewn rhyw gyflwr nwyfus, meddwol, anghyfrifol bron. A heno oedd penllanw'r llawenydd.

Rhan o'r sbri oedd dod â'u ffortiwn i gyd gyda nhw mewn arian parod. Caent y teimlad eu bod wedi codi eu bywyd yn un darn o ddaear Cilgwri, wedi ei bacio yn y bag lledr coch, a'i gludo drwy'r awyr i'w ailblannu yng nghynefin tynerach Andalucia. Syniad Denis oedd hyn.

Er ei bod yn cydnabod rhamant y peth, roedd Kate fymryn yn betrus o roi'r wyau i gyd yn yr un fasged, ac o gario honno ar fraich yn wyneb haul. Heb yn wybod i Denis, roedd hi wedi gadael celc go lew gyda'r gymdeithas adeiladu yn ôl yn yr hen dref.

Heno, doedd hyn ddim ar ei meddwl. Dathlu oedd i fod. Gwisgo ffrog sidan, a chrwydro cynteddoedd y gwesty'n amsugno moethusrwydd y lloriau marmor, y carpedi twrcaidd, a'r blodau trofannol persawrus. Dewis soffa feddal mewn cilfach a disgwyl i Denis archebu'r sieri.

Edrychodd arno. Gallai ei weld o'r newydd heno, ac yr oedd o'n plesio. Dyn cadarn yr olwg a dim byd llwydaidd o'i gwmpas o. Pan gâi dipyn o liw haul, fyddai o fawr o dro yn magu gwedd reit Sbaenaidd. Efallai fod ganddo duedd i fagu bol, a bod ei wyneb fymryn yn rhy goch. Byddai chwarae golff a dogni'r gwin yn setlo hynny. Y peth gorau o'i gwmpas oedd ei lygaid direidus. Gallech ddibynnu arno i beidio â bod yn ddiflas. At ei gilydd, roedd o'n ddyn na fyddai gan yr un wraig gywilydd ohono. Byddai'n well iddo gael siwt ysgafn newydd hefyd, ar gyfer nosweithiau fel hyn.

Cyn naw o'r gloch y bore, roedd golau'r haul yn treiddio drwy gil pob drws a ffenest. Gorffen pacio yr oedd Kate, gwthio dillad nos a gêr molchi i fag gwellt cwmpasog.

''Sdim rhaid i mi gymryd trafferth efo'r rhain. Mi fyddan yn cael 'u dadbacio yn y tŷ ganol dydd. Wyt ti jest yn barod?'

'Yndw i, ers pum munud.' Cododd Denis y paciau, a smalio mynd am y drws, yna troi'n ôl fel pe bai wedi cofio rhywbeth.

'Fase'n biti i ni fynd heb y pres, base?'

'Watsia di, 'ngwas i,' meddai Kate gan dynnu ystumiau wrth ei weld yn agor y cwpwrdd i estyn y bag lledr coch.

Gwacter.

Dim byd yno.

Cwpwrdd gwag, glân.

''Di o ddim yma!'

'Be ti'n feddwl, "'di o ddim yma?"'

'Jest be ddeudes i. 'Di o ddim yma. Sbia!'

'O, tyd o'ne. Wyt ti 'di'i roi o dan y gwely neu rywle.'

'Nac ydw. Fa'ma y rhois i o neithiwr. Welest ti fi!'

'C'mon rŵan. Jôc 'di jôc. 'Sgin i ddim isio rwdlan fan hyn drwy'r bore.' Roedd ei wyneb o fel y galchen; ond, yn ei braw, sylwodd Kate ddim ar hynny. Aeth hithau ben ac ysgwydd i'r cwpwrdd, a byseddu ei lawr a'i waliau fel pe bai hi'n disgwyl i'r bag fod wedi ei guddio ei hun yn y pren.

'Sut galle fo ddiflannu fel'ne? Mae o wedi cael 'i ddwyn! Pam na faset ti wedi'i gadw fo'n saff?'

Ddywedodd Denis ddim, dim ond sefyll fel dyn mewn parlys. Kate gododd y ffôn i alw'r heddlu, a chau drws y stabal. Erbyn hynny, roedd y ceffyl yn glir dros y ffin, yn Gibraltar.

Roedd hi'n boeth ym maes awyr Gibraltar, a'r awyr yn drymaidd. Daeth rhes o dwristiaid drwy'r adwy, yn smicio'n anghrediniol ar yr heulwen ac yn symud ei siacedi o un fraich chwyslyd i'r llall.

'Joiwch ych gwyliau, a chadwch ych pres yn ych dillad isa!' Dan ei wynt y siaradodd Denis, heb ddisgwyl i Kate ddal sylw na chydnabod y jôc. Ond roedd o'n

41

teimlo rheidrwydd i daflu geiriau i mewn i'r gwacter poenus. Gwyliai Kate y rhesi neon gwyrdd yn ymlid ei gilydd i lawr yr hysbysfwrdd.

'O sbia, mi fydd hi awr yn hwyr yn cychwyn.'

'Digon o amser i ti newid dy feddwl.' Tanbeidiodd Denis ei lygaid arni, a'i dalcen yn crychu. Rhoddodd fys ar ei braich, honno'n frown ac yn feddal dan y freichled gopr. Trodd hithau i ffwrdd.

''Di o ddim iws, nac'di? Fedrwn ni ddim byw yma heb bres.'

'Mi ddaw yna rywbeth o rywle, w'sti.'

'Wyt ti'n deud hynny ers mis.'

'Wel, mae pethe'n cymryd amser, yntydyn? Ti'n gorfod dŵad i nabod pobol, siarad hefo nhw . . .'

'Slotian hefo nhw, chwarae golff hefo nhw, dyna be wyt ti'n 'i feddwl? A tra wyt ti'n gneud hynny, mae'r pres yn dengid fel eira yn yr haul. Waeth i ti heb ag edrych arna i fel llo.'

'Wel, ie, mae'n ddrud fan hyn, dw i'n gwbod. Ond 'sdim rhaid i ni aros ar y costa, nac oes? Allen ni fynd i fyny i'r mynyddoedd. Wyt ti 'di gweld y pentrefi bach gwyn yna'n sgleinio ar ben y brynie? Nefoedd ar y ddaear. Chdi a fi. Allen ni agor busnes.'

'O, Den, lle wyt ti'n mynd i gael pres i gychwyn busnes? Mae'n celc ni wedi mynd bob dime.'

'Mi fues i'n ffŵl, dw i'n gwybod.'

'Wel, dene fo. Mae o 'di mynd. Mi oedd y breuddwyd yn braf tra parodd o.'

'Mae colli'r pres yn un peth. Mae dy golli di'n beth arall.'

'Mi fydd yn haws i ti hebdda i.'

'Dwi i ddim yn licio meddwl amdanat ti ar ben dy hun yn Neston.'

'Mi fedra i gael gwaith, yn medra? Digon i 'nghadw i, beth bynnag.'

'Drycha, dydyn nhw ddim wedi galw'r awyren yna eto. Mae gin ti amser i gael coffi bach arall.'

'Denis, ti'n anobeithiol. Pryd sylweddoli di na 'sgynnon ni ddim pres? Fedrwn ni ddim *fforddio* coffi arall!'

Bu'n ddiwrnod poeth yn Jimena de la Frontera, a chysgodion y pnawn hwyr yn fendithiol yn y stryd hir, gul. Dim ond ambell ddrws solat wedi ei sodro yn y wal wen gyntefig oedd yn dangos bod yno dai, a rhywrai y tu mewn hwyrach heb godi o'u siesta. Ond yr oedd un drws ar agor fel genau ogof, a sŵn drilio a llifio'n dod o'r tŷ. Boddid hynny i raddau gan fiwsig pop yn llifo o radio'r plymar oedd yn gosod cawod rywle i fyny'r grisiau. Roedd y gegin yn olau yn yr heulwen a ffrydiai o'r patio yn y cefn. Cododd Denis deilsen a phatrwm gwyddfid arni, a'i gosod yn y sgwâr gwag olaf oddi amgylch yr hob. Mwmiodd wrtho'i hun.

'Mi fase Kate wedi bod wrth 'i bodd mewn tŷ fel hwn. Efo tywydd Sbaen, dydi hi fawr o job gneud y lle'n balas. Lloriau teils a chelfi gwiail. A'r blodau pinc yna oedd ganddi hi 'u heisio yn tyfu dros bob man. O wel, dyna fo. Hi fynnodd fynd.'

Clywodd sŵn fen yn stopio yn y stryd, a llais Steve yn gweiddi helô. Doedd o byth yn sleifio'n llechwraidd o gwmpas y gwaith, chwarae teg iddo fo. Daeth i'r gegin gan chwilio ymhlith bwndel o amlenni brown.

'Hai, Denis, s'mai? Ti 'di cael hwyl dda ar yr uned 'ma, yndo? H'm. Ia, wir. Grêt. Ti'n barod i noswylio? Reit, be gymri di gynta, newyddion da 'ta newyddion drwg?'

'Rhai da gynta. Hwyrach y bydda i farw o sioc cyn cael y newydd drwg, felly! Ha, ha.'

'Reit. Fel fynni di. Wel, y newydd da ydi fod yna fonws i ti yn dy baced heno. 'Den ni 'di gneud yn dda ar y job yma. Paid â'i wario fo i gyd yn y bar. Mi fydda i yno'n nes ymlaen, ac mi fydda i'n prynu rownd ne ddwy, reit? Dyna dy baratoi di ar gyfer y newydd drwg.'

'O, ie?' Edrychodd Denis yn reit ddidaro.

'Ie, wel. Fel deudis i, 'den ni 'di gneud yn dda. Fyddwn ni 'di gorffen cyn pen yr wythnos fel mae pethau'n mynd rŵan. Y drwg ydi, does yna'r un job arall mewn golwg ar hyn o bryd. Wrth gwrs, mi fydda i ar d'ôl di y munud y daw rhwbeth i'r fei.'

Yn ôl ar y clwt. Felly roedd hi wedi bod drwy'r flwyddyn, jobiau ysbeidiol a dim sicrwydd o wythnos i wythnos. Ffawd oedd wedi ei gadw rhag llwgu, a fedrai o ddim dylanwadu ar y dduwies od honno. Felly doedd dim iws poeni. O leia roedd o wedi talu'r rhent tan ddiwedd y mis. Aeth adre i'w bwt o dŷ, oedd yn debycach i ogof na gweddill y stryd hyd yn oed. Symudodd ei ddillad nos oddi ar y fainc yn y wal, a suddo i'r clustogau. Y peth nesa, teimlodd ei hun yn deffro a gweld y golau'n pylu. Cofiodd yn gyntaf ei fod i fynd i'r bar cyn nos. Wedyn cofiodd fod y gwaith yn dod i ben. O, wel, roedd ganddo'r bonws i'w wario, a siawns na ddeuai jobyn arall i'r fei heno neu'r wythnos nesa. Hefyd mi fyddai Jini yno.

Roedd llygaid Jini'n edmygus wrth iddi weini'r gwin coch a'r calamares. Doedd hi ddim yn feirniadol o'r crys-T wedi ffedio, y trowsus cwta a'r fflip-fflops.

'Fedri di ddŵad i rannu'r botel hefo fi?'

'O, diolch yn fawr, syr.' Gwnaeth gyrtsi bach slic.

''Di cael bonws, neu wedi ennill y lotri? Aros i mi fynd â bwyd i'r criw acw, ac mi ddo i. Mi gaiff Paco edrych ar ôl y bar am sbel.'

Roedd Denis wedi gofyn iddi o'r blaen: 'Be mae hogan ddel fel ti yn 'i neud mewn lle fel hyn?' ac wedi cael ateb: 'Lle felly ydi Jimena, w'sti. Pobl yn dŵad am fis ac yn aros am ddeng mlynedd.' A dyna'n union yr oedd Jini wedi'i wneud. Byddai rhai'n synnu nad oedd ganddi ddim awydd gwneud rhywbeth â'i bywyd, dilyn gyrfa, chwilio am ŵr, neu hyd yn oed wneud arian. Roedd digon o ferched yn ei gwneud hi'n reit dda yn y gymuned alltud yma. Yr un ateb a gâi pawb ganddi: 'Dw i yma. Dw i'n hapus yma. Be arall sy isio?'

Cafodd Denis deimlad cysurus o'i gweld yn dod i eistedd ar y fainc gyferbyn, yn gwthio'r gwallt cringoch o'i hwyneb ac yn blasu'r gwin. Yng ngwyll y bar roedd yna olwg cyn-Raffaëlaidd arni. Dygodd ddarn o bysgodyn oddi ar ei blât o.

'Paid â phoeni. Mae 'na chwaneg yn y gegin.'

'A chwaneg o win?'

'Faint fynni di.'

Ond doedd yr un o'r ddau am feddwi. Doedden nhw ddim am foddi'r funud, y presennol gwyn. Goleuodd Jini gannwyll mewn potel wag, a symudodd belargoniwm yn nes at y gwres er mwyn sawru'r arogl. Hongiai'r dail a'r blodau oddi ar y wal wyngalchog.

'Cwpanaid o win, crystyn torth, a ti.'

'Ti. Wyt ti rioed wedi deud wrtha i be mae dyn 'tebol fel ti yn 'i neud mewn lle fel hyn? Dw i 'di deud fy hanes i. Dy dro di rŵan.'

Am y tro cyntaf, gallodd Denis fynd dros ei stori o gam i gam, ac ail-fyw'r penderfyniad mawr, y mudo, y gobaith tanllyd, a'r siom o golli'r arian. Er syndod iddo, doedd yna ddim poen yn y dweud, o leiaf ddim nes y daeth at ymadawiad Kate, a ddywedodd o fawr ddim am hynny.

'Wel, dyna fo. Y celc i gyd wedi mynd. Cynilion deunaw mlynedd wedi mynd fel pwff o fwg.' Chwythodd y gannwyll allan. 'Mae o'n ddoniol, pan ei di i feddwl am y peth.'

Roedd Jini'n gwenu, yn cadw'i chwerthin yn ôl.

'Wel, doedden nhw'n ddim ond pres, nac oedden?'

'Nac oedden, tad annwyl. Dŵad a mynd fel clychau'r gog.'

Dechreuodd chwerthin, a dal i chwerthin.

'Oes rhywbeth arall yn ddoniol?'

'O diar, oes! Y jôc fawr ydi 'mod i wedi colli ffortiwn. Y jôc arall ydi—O diar!—nad ydi o ddim ffeuen o ots gen i!'

Diwedd y Gân

Dim ond codi ei ben yn ddisgwylgar wnaeth yr heliwr pennau. Ymrithiodd y pen-gweinydd wrth ei ysgwydd heb siw na miw.

'Ydi popeth yn iawn, syr?'

Rhoddodd yr heliwr gip ar ei westai cyn ateb. Roedd Janus Lector Jones yn edrych fel pe bai'n llyfu ei weflau cyn dechrau canu grwndi. Barnodd yr heliwr fod y cinio wedi gwneud ei waith, a'r pen hwn yn ei rwyd.

'Campus, fel arfer. Nawr 'te, os gallwch chi gael hyd i ryw gornel fach dawel lle gallwn ni gael coffi, mi wnewch ffafr fach â fi. A brandi, wrth gwrs.' Wrth siarad, trodd ei ben fymryn i gyfeiriad y bathodyn bach cynnil ar ei labed chwith. Salamander aur, mor fychan fel mai prin y gallech weld ei siâp na'i gynffon; ond hawdd i'w adnabod oddi wrth y dyblygiadau anferth a welid ar fyrddau hysbysebu ar hyd a lled y ddinas. Ar hyd a lled y byd, o ran hynny.

'Mae yma stafell breifat ar gael. Mae hi bob amser yn bleser hyrwyddo busnes, Mr Wayne.'

Doedd Janus ddim wedi meddwi. Roedd yn agos i botelaid gyfan wedi diflannu i'r gegin ar ddiwedd pob cwrs, fel pe bai gwin cyn rhated â the wedi'i stiwio. Y bwyd oedd wedi ei suo fo i lesmair Elysaidd. Methai'n lân â deall pam y gallai fod wedi cwyno am ddim byd erioed, a doedd o ddim yn mynd i gwyno am ddim byd byth eto. Pam y dylai o, a bywyd mor orfoleddus? Roedd y teimlad o'i gwmpas o, fel persawr. A than ei draed yr oedd ffaith, ffaith soled yn arwain at gyfoeth a bri. Roedd heliwr pennau cwmni rhyngwladol Salamander ar ei drywydd o.

Ac roedd hwnnw wrthi'n dweud y pethau yr oedd Janus wedi ffantasïo am eu clywed, a hynny'n rhoi naws baradwysaidd i'r ystafell fach gymen.

'Dw i'n deall eich bod chi wedi cael gradd dosbarth cynta—un gyfun! Cymdeithaseg a Chymraeg? Diddorol dros ben. Unigryw, o bosib?' Roedd o'n siarad yr un ffunud ag Americanwr mewn ffilm, yn gyflym a braidd yn undonog, gan roi'r argraff o allu fforddio bod yn ddidaro ynghylch materion o bwys.

Nythodd Janus yn ddyfnach i'r lledr coch. Rhoddodd y falŵn frandi o'i law a chymryd sipiad o'r coffi du. Doedd o ddim wedi arfer â blas mor llym, ond roedd o am gynefino â'r bywyd crand. Ac ynghanol y maldod, mi oedd o'n gwrando.

'Wrth gwrs, mae hon yn adeg bwysig yn eich bywyd chi. Mae'r byd o'ch blaen chi. Cyfleoedd anhygoel, dim ond gwneud y dewis iawn. Nawr, dw i'n cymryd yr hyfdra o ddychmygu fy hun yn eich sgidiau chi.' Gwên fach ymddiheurol, swynol. 'A'r dewis mawr faswn i'n ei weld o'ch blaen chi ydi'r dewis rhwng masnach ac academia. Ydw i'n iawn?'

'Wel, ydych.' Doedd Janus ddim am droi i un cyfeiriad mwy na'r llall, ddim nes bod y llall wedi rhoi ei gardiau ar y bwrdd.

'Ydi o wedi taro ar eich meddwl chi ei bod hi'n bosib cael y gorau o ddau fyd?'

'Dw i ddim yn siŵr sut y gallwn i wneud hynny.'

'Wrth gwrs. Gadewch i mi ymhelaethu. Dw i'n meddwl y dylwn i ddweud dipyn bach wrthoch chi am athroniaeth cwmni Salamander. Mae'n bwysig bod y cwmni'n arfer dylanwad byd-eang. Mae cymaint yn

48

dibynnu ar hynny. Ac mae yna bobl ddethol—dethol iawn—yn gweithio ar bob lefel o gymdeithas yn hyrwyddo buddiannau'r cwmni. Mi eglura i i chi. Chydig mwy o frandi?'

Drannoeth setlodd yr heliwr i'w sedd ar Concorde, ac agor ei fag lledr du. Gwthiodd ei goffi i un ochr o'r bwrdd er mwyn gwneud lle i'w ddogfennau. O'u plith dewisodd fap braslun o daleithiau Ewrop. Brithid y gwynder rhwng y ffiniau gan diciau bach cymen mewn inc coch. O'i boced tynnodd yr heliwr feiro aur wedi ei hysgythru â llun amlinellol o salamander, a'i dal uwch ben y map, ei fynegfys yn tapio rhythm rhyw gân hela o'r oes a fu. Dan y llythrennau CYMRU ar ymyl orllewinol y map, rhoddodd dic bach cymen, coch. Yna rhoddodd y map yn ôl yn y bag lledr ac estynnodd am ei goffi.

Eisteddai Janus L. Jones yn rhagystafell yr Athro Cymraeg, yn edrych drwy'r ffenest ar haul Medi yn cluro dail mân y bedw, ac yn eu gweld yn dechrau melynu. Roedd ei du mewn yn corddi fel toreador ar fin wynebu ei darw. Ei neges gyntaf fel asiant cudd! Doedd wiw iddo ymddangos yn rhy nerfus; ac eto roedd ganddo beth esgus am ei fod yn gofyn am nawdd i wneud ei ddoethuriaeth. Agorodd yr Athro ei ddrws.

'Tyd i fewn, hogyn. Dw i'n falch o dy weld ti. Dw i'n cymryd dy fod ti wedi treulio'r haf ar ryw ynys bellennig yn cynllunio dy fywyd?'

'Mi allech chi ddeud hynny.'

'Ac yn darllen pethau newydd?'

Doedd o ddim i fod i ddweud ei fod wedi cael cyngor i darllen *1984* George Orwell, ymysg pethau eraill.

'Bywgraffiadau, rhan fwya'. Hanes Henry T. Ford, er enghraifft.'

'Reit. Wel, stedda yn fanna, a dwed wrtha i be sy gen ti mewn golwg.'

'Wel, mi hoffwn i neud doethuriaeth.'

'Debyg iawn. Wyt ti wedi meddwl am dy faes? Cymraeg a Chymdeithaseg 'sgin ti, yntê? Dwn i ddim am neb arall hefo'r cyfuniad yna. Posibiliadau?'

'Wel, meddwl yr ydw i am ddylanwad llenyddiaeth, neu lenorion 'lly, ar y werin, ac wedyn ar Hanes, fel petai.'

'Ia, iawn. Ond mi ddylwn i ddeud wrthat ti yn syth ei bod hi'n reit anodd cael tystiolaeth ddilys ar bwnc fel'na. Mi fedret ti sgwennu traethawd gwych, dw i'n siŵr, ar effaith darlith Saunders, *Tynged yr Iaith*, ond dy farn di fyddai o yn y diwedd. Does dim dal y bydde'r arholwyr yn cyd-weld hefo ti.'

Doedd pethe rioed yn mynd i fod mor hawdd â hyn?

'Ia, wel, meddwl ei wneud o o ryw safbwynt dadadeiladol o'n i, mewn ffordd. Os caf i ddefnyddio'r term yn llac.'

'O ia? Sut, felly?'

'Wel, mae'n bosib y dyddiau yma, yntydi, mynd trwy lenyddiaeth un ganrif, deudwch, a dileu pob dyfyniad a chyfeiriad at ryw un ffigur neu'i gilydd, a mi fasai'n ddiddorol gweld be sy ar ôl. Mi fasai'n rhaid i mi weithio yn y Llyfrgell, wrth gwrs, a chael popeth ar feicroffilm.'

Dwysaodd llygaid yr Athro tu ôl i'w sbectol. Bu'n dawel ac yn hollol lonydd am ddeg eiliad. Yna dywedodd, 'A chymryd fod y peth yn ddichonadwy, a dw i ddim yn dweud am funud ei fod o—pwy oedd y ffigwr oedd gen ti mewn golwg?'

Yn araf a diymhongar iawn y siaradodd Janus.

'Mae'n bosib dadlau, yntydi, mai'r dyn a ddylan-wadodd fwyaf ar ysbryd y werin Gymreig oedd—wel—Pantycelyn.'

'Y nefoedd fawr!'

Aeth Janus adre gan deimlo'n reit fodlon. Doedd o ddim wedi bradychu ei gyflogwr. Aeth i'w oergell i chwilio am botel, un hefo llun salamander bach aur ar ei label. Rhoddodd gryno-ddisg o'r opera 'Rienzi' yn y slot, a setlodd i lawr i fwynhau ei siampên. Biti na fuasai ganddo fo gwmni, hefyd. Ond roedd yr heliwr wedi ei siarsio fo rhag gwario rhodresgar. Disgyblaeth. Doethineb. Cuddliw. Dyna allweddi llwyddiant.

Bythefnos yn ddiweddarach, synnodd yr Athro'n fawr o glywed fod y Coleg wedi derbyn rhodd anarferol o hael gan gwmni rhyngwladol Salamander, tuag at ymchwil lenyddol. Dyma gyfle gwych i roi cais Janus o flaen y Cyd-bwyllgor Ymchwil, ac allai'r pwyllgor hwnnw ddim gwrthod ar sail prinder arian. Mae'n wir fod yr hen Athro Emeritus wedi barnu'r prosiect yn anymarferol, fel dad-sgramblo wyau, medde fo; ond roedd pawb yn gwybod fod gan yr hen greadur chwilen yn ei ben ynghylch dadadeiladaeth, felly wnaeth neb gymryd gormod o sylw.

Pum mlynedd y bu Janus wrthi hi, o fore gwyn tan nos, bum diwrnod yr wythnos a bore Sadwrn, yn 'cywiro' pob cyfrol yn y Llyfrgell Ryngwladol o 1730 ymlaen. Digon hawdd wrth gwrs oedd trefnu i'r cyfrifiadur ddileu'r gair 'Pantycelyn' o'r testunau, ond roedd gofyn crebwyll i drwsio'r tyllau gwag. Ac wedyn, roedd yna waith i'w wneud ar y cyfeiriadau anuniongyrchol, geiriau ymddangosiadol ddiniwed fel 'anialwch', 'pererin' a 'niwl a thân'. Ac yr oedd gofyn ailwampio hanes y Diwygiad Methodistaidd o'i fôn i'w frig. Roedd swmp y gwaith yn anhygoel.

Bob mis Awst, byddai Janus yn diflannu. Byddai'n anfon ugain o gardiau post o Singapôr, a dim gair wedyn. Ychydig o bobl oedd yn gwybod am y pentref gwyliau ar Pulau Kapas, ynys y gwlân-cotwm yn y Môr Tawel. Byddai mis o wledda, o bysgota a thorheulo, a segura a mercheta, yn y baradwys honno'n rhoi digon o liw ar ei groen a chnawd ar ei esgyrn i'w gadw'n rhesymol iach am flwyddyn arall. Ond erbyn diwedd y pum mlynedd, roedd o'n edrych yn reit od, fel robot yn llawn o fitaminau ond heb fawr o gnawd. Wrth ei basio ar y stryd, byddai pobl yn troi'n ôl i edrych, rhag ofn ei fod o'n dod o'r gofod.

Cyflwyno ei waith i'r Brifysgol, yn gais am ddoethuriaeth, oedd pinacl ei fywyd. Hawdd gweld ei fod o dan straen dros yr wythnosau olaf. Doedd o byth yn ymddangos yn y Cambrian nac yn y Cŵps. Wyddai neb ar be yr oedd o'n byw. Y gwir oedd ei fod o'n byw ar gafiâr a wystrys oedd yn cyrraedd bob dydd mewn cawell o flaen ei ddrws. Ac mi fyddai cawell yr un ffunud â hi'n ymddangos o flaen swyddfa y Llyfrgellydd Rhyngwladol bob bore.

Digon rhesymol oedd i'r swyddog hirymarhous hwnnw gael cydnabyddiaeth am y llanast oedd wedi disgyn ar ei hoff Llyfrgell. Erbyn hyn roedd yno ddau fersiwn o hanner y llyfrau a gyhoeddwyd ar ôl 1730, y fersiwn gwreiddiol ac un arall wedi ei ddynodi '-W'. Leinin arian y cwmwl du hwn oedd fod y Llyfrgell wedi cael rhodd o bum miliwn o bunnau oddi wrth gwmni

Salamander tuag at adeiladu estyniad i fod yn gartref i'r llyfrau a'r meicroffilmiau newydd. Bu haelioni'r cwmni tuag at y celfyddydau yn destun hollgynhwysol i S4C am wythnos.

Cafodd y rhaglen deledu *Hel Stori* hwyl fawr hefyd yn dangos Janus yn cyflwyno'i waith. 'Mahomet yn dod at y mynydd' medden nhw wrth i'r camera ddilyn y Pwyllgor ar ei daith o gwmpas y llyfrau newydd. Wrth gwrs, cadwyd y ffilm dan glo nes i'r genedl gael gwybod fod Janus L. Jones yn wir wedi ennill doethuriaeth fwyaf anarferol y ganrif.

'Well i ti gymryd blwyddyn sabothol,' meddai'r Athro, heb fawr o ofid. 'I ble'r ei di?'

'Maen nhw'n dweud bod yna bethe cyffrous yn digwydd yn Tseina. Mae gen i awydd mynd i gael sbec.'

Roedd yn rhaid i Janus fynd. Doedd ganddo fo ddim byd mwy i'w wneud yng Nghymru. Cymerodd radd mewn Mandarin o brifysgol Beijing, a chael cysur o lenwi ei ben â system newydd o wybodaeth. Aeth ati i astudio Confucius, ac ymhen hir a hwyr daeth hiraeth arno am yr hen iaith Gymraeg, Cymraeg Aneirin, Dafydd ap Gwilym a William Morgan. Bum mlynedd wedi ennill ei ddoethuriaeth syfrdanol, daeth yn ôl i Gymru.

Roedd yr Athro Cymraeg ar fin cymryd ymddeoliad cynnar.

'Mae'r Adran wedi crebachu, w'st ti. Mae nifer y myfyrwyr yn mynd yn llai bob blwyddyn. Wedyn, wrth gwrs, mae'n cyllid ni'n fach iawn. Dw i ddim yn meddwl y bydd Athro'n cael ei benodi yn fy lle i. Ond dw i'n gobeithio'n arw y bydd y gwaith yn mynd ymlaen fel rhan o'r Astudiaethau Cyfathrebu â Lleiafrifoedd. Wyt ti am wneud cais am swydd?'

Ddeng mlynedd yn ddiweddarach, roedd yr Athro J. Lector Jones yn eistedd yn ei swyddfa yn yr Adran Gyfathrebu, yn barod i gyf-weld y myfyriwr a gawsai'r radd ddisgleiriaf yn ei ddosbarth.

'Tyd i fewn, hogyn. Dw i'n falch o dy weld di. Dw i'n cymryd dy fod di wedi treulio'r haf ar ryw ynys bellennig yn cynllunio dy fywyd?'

'Mi allech chi ddeud hynny.'

'Ac yn darllen pethau newydd?'

'A hen bethau!'

'O?' Dyna'r drwg efo'r rhai clyfar yma. Wyddech chi byth beth ddeuai i'w pennau nhw nesa. 'Wel, stedda yn fanna, a dwed be sy gen ti mewn golwg.'

'Mi hoffwn i wneud doethuriaeth.'

'Debyg iawn. Wyt ti wedi meddwl am dy faes? Onid yr hen ieithoedd diflanedig oedd testun dy draethawd hir di?'

'Ia. Cymraeg yn benodol. A dw i wedi dod ar draws rhywbeth reit ddiddorol, sef bod yna *lacunae* rhyfedd iawn yn yr archif lenyddol. Mae yna un dirgelwch y baswn i wrth fy modd yn mynd i'r afael ag o, ac mi hoffwn i ei gynnig o fel pwnc doethuriaeth.'

Dwysaodd llygaid yr Athro y tu ôl i'w sbectol. Aeth yn dawel ac yn hollol lonydd am ddeg eiliad. Yna dywedodd, 'A be 'di'r dirgelwch mawr yma rwyt ti wedi'i ddarganfod?'

Yn araf ac yn ymddiheurol y siaradodd yr hogyn.

'Wel, mewn hen stàc yn y Llyfrgell Ryngwladol mi ges i hyd i swp o gopïau o hen fisolyn crefyddol, dim gwerth llenyddol ynddyn nhw, ond mor wahanol i weddill y stwff fel bod rhaid i mi ofyn "Pam?" Ac wrth ddarllen mi o'n i'n cael hyd, dro ar ôl tro, i gyfeiriad at rywun dan yr enw "Y Pêr Ganiedydd". A fy thesis i, syr,

ydi fod yna ryw ddirgelwch ynghylch y Pêr Ganiedydd
yma, a mi fasai ei ddatrys o yn waith mawr fy mywyd i.
Mi fasai'n rhaid i mi weithio yn y Llyfrgell, wrth gwrs,
a chael agor yr hen staciau i gyd. 'Dech chi'n meddwl
fod gen i siawns cael nawdd i neud fy noethuriaeth ar
hynna?'

Tynnodd yr Athro ei sbectol a smicio'i lygaid yn
fyopig.

'Wn i ddim wir, fachgen. Mi fase'n rhaid i ti ddangos
fod yna werth economaidd yn y gwaith cyn y caet ti
nawdd, yn basai? Well i ti fynd i chwilio am noddwr, dw
i'n meddwl. Wyt ti wedi cysylltu hefo cwmni
Salamander?'

Eisiau Byw

Mae'r drws yma'n drwm i'w agor. Drws solat, hardd. Braf o beth hefyd fod gen i oriadau i'r eglwys, a 'mod i'n cael mynd a dod fel fyw fyd y mynna i. Dyna un fantais dw i'n ei chael yn sgil yr holl jobsys dw i'n eu gwneud o gwmpas y plwy yma. Mae'n siŵr fy mod i wedi ymhél â phob swydd leyg ynglŷn â'r eglwys—heblaw gwaith y clochydd wrth gwrs. Glywes i erioed am ferch yn torri b . . . (Hei, paid â dechre. Tro'n ôl o'r trywydd yna y funud yma, ti'n dallt?) Ia, wel. Nid nad ydw i wrth fy modd yn bodio'r llyfrau ac yn trefnu'r taflenni at y Sul, ond mae yna rai jobsys digon hurtiol. Glanhau'r pres yn un peth. Yr hen eryr mawr yna sy'n dal y ddarllenfa. Mae'r llwch yn mynd i mewn i'r rhychau a does dim posib cael sglein arnyn nhw. Dwn i ddim i be sy eisiau eryr mewn eglwys p'run bynnag. Hen beth hyll. Hyllach fyth i gwningen, a hithau'n gweld yr adenydd anferth yna'n dod drosti i'w lapio hi'n sownd, a'r big fel bidog wedyn yn darnio cnawd a rhwygo coluddion. (Dyna ti eto, 'nei di *stopio* meddwl am bethau fel yna?)

Dod yma i gael tawelwch meddwl wnes i, nid i hel bwganod. Cael teimlo'r eglwys o 'nghwmpas i. Mi stedda i reit yn y cefn, dw i'n meddwl. Taswn i yn y canol, mi faswn i'n torri ar gyfanrwydd y lle, fel pìn mewn pêl. Mae gan eglwys ei siâp a'i bodolaeth ei hun, a dw i'n teimlo'n amal fy mod i'n tarfu arni. Mi a' i reit at hen ddrws y gorllewin. Mi fydd hynny o oleuni sy'n dod drwy'r ffenest uchel yn disgyn o 'mlaen i.

Dw i'n falch nad un o'r eglwysi cynnar gwyngalchog

56

yna ydi hi, er fy mod i'n eitha hoff o'r rheiny mewn ffordd. Ond mae eu golau nhw'n llachar, fel ysbyty. Golau gwyn yn treiddio i du mewn dyn, ac yn dangos Duw a ŵyr be. (Dyna ddigon ar hynna hefyd.) Well gen i eglwys o lawer nag ysbyty. Does dim golau gwyn yma. Mae'r haul yn uwch rŵan ac yn lliwio ffenest y dwyrain, yn disgyn yn rhuddem ac yn lafant ar lawr y côr, yn ffeind. Anaml y bydda i'n sylwi ar y lluniau yn y ffenest. Wedi hen gynefino. Ond dw i ddim wedi anghofio beth ydyn nhw, wedi i'r hen Ficer ddeud yr hanesion wrthon ni pan oedden ni'n blant. Abraham ydi hwnna ar y chwith, yn edrych ar wlad yn llifo o laeth a mêl. Mi wna i basio heibio'r canol. Ar y dde mae mam Ioan Fedyddiwr, a'r angel yn sefyll drosti ac yn cuddio'i chorff beichiog hi.

Tybed ai cuddio yr ydw innau hefyd wrth ddod yma rŵan? Ceisio anghofio am hanner awr bod yn rhaid i mi fynd yn ôl i'r ysbyty y pnawn 'ma? Dw i wedi cael mis i anghofio diwrnod yr archwiliad, ond dw i'n dal i wingo. Ceisio cuddio rhag y golau llachar yr oeddwn i, ond gwybod fod y llawfeddyg yn procio'i lamp i mewn i 'mherfedd i. Dyna fi wedi deud y peth yn blaen, wrthyf fi fy hun beth bynnag. Taswn i'n siarad hefo rhywun arall, mi fase'n rhaid i mi saniteiddio'r peth hefo gair Groeg. Endoscopi, neu rywbeth amhenodol felly. Cofio fel y byddai Nain yn sibrwd yn fursennaidd fod hon-a-hon yn diodde o 'rywbeth *internal*'.

P'run bynnag, mi alla i gofio rŵan am y llawenydd o fynd adre'r noson honno. Cael fy nghorff i mi fy hun, cael gwisgo amdanaf, ac O wynfyd! cael agor drws y bwthyn, gwneud pot o de, a gwylio *Pobol y Cwm*.

Ceisio peidio â meddwl, tan drannoeth, am y peth hyll y tu mewn i mi, y peth oedd yn cuddio yn y tywyllwch.

57

Polyp, meddai'r meddyg, gan edrych yn ofalus arna i i weld faint roeddwn i'n ei ddeall.

'Mi wnawn ni drefnu profion yn y labordy, jest i wneud yn siŵr. Os bydd yna'r mymryn lleia o amheuaeth, mi wnawn ni drefnu rhagor o driniaeth i chi. Gnewch apwyntiad ymhen y mis.'

Oedd yna awgrym o dosturi ar ei wyneb o? Y peth gwaetha i glaf ydi gweld tosturi ar wyneb meddyg. 'Dach chi'n gwybod ei bod hi ar ben wedyn.

Mae tosturi yn yr eglwys yn wahanol. Mae gynnon ni i gyd angen hwnnw.

Mae hi mor ddistaw yma. Does dim byd yn symud, ac eto dydi'r lle ddim yn teimlo'n wag. Mae o'n llawn—o be, tybed?—hen donnau'r organ yn drybowndio'n ôl ac ymlaen ym mwa'r to? Seiniau'r salmau yn y claeruchdwr? Mi ddylwn i wrando ar y lle'n amlach. Dw i'n dechre setlo i lawr, dw i'n meddwl. O leia dw i'n eistedd yn llonydd rŵan. 'Sgin i ddim isio distyrbio. Mae gen i eisiau dilyn fy meddyliau, nes y dof i i'r canol llonydd, os dof i hefyd.

Maen nhw'n dweud mai rhyw ddegfed rhan o'r hyn mae'r meddyg yn ei ddweud y mae'r claf yn ei gofio. Cofio yr ydw i ei fod o wedi ailadrodd y geiriau 'jest i wneud yn berffaith siŵr', lawer gwaith drosodd. Mae hynny'n gysur, ond mi oedd o i *fod* yn gysur, debyg. Felly dydw i ddim nes at wybod oedd o'n bod yn onest ai peidio. Mi allai o fod yn gwybod yn iawn y bydda i'n mynd o un driniaeth at y llall, a phob un yn waeth na'i gilydd, ac mai dweud hyn i roi amser i mi i gynefino â'r syniad yr oedd o.

Ond dydw i ddim yn mynd i feddwl am y gwaethaf. Mae o'n llun ar waelod fy meddwl i—rhith o ddynes foel yn edrych fel drychiolaeth—ond dw i ddim yn mynd i edrych, na rhoi'r peth mewn geiriau. A ph'run bynnag, dydi hi ddim ar ben eto. Mi fydd yna amser cyn i bethau fynd yn waeth. Mi fydd yna lawenydd bob yn ail.

Mi ga i ddod adre heno, beth bynnag. Be sydd yna i swper? O ia, mae yna datws. Ac wyau. Ac mae hi'n ddydd Sadwrn fory. Mi ga i fwrw'r Sul, o leia, cyn i ddim byd ddigwydd.

Dw i'n gweld bod yna hasog dan un o'r seddi cefn yma wedi gwisgo'n denau. Rhywun wedi rhoi sawdl ynddo fo, mae'n siŵr. Fase'n well i mi fynd â fo adre i'w frodio. Mae gen i ddafedd glas wnaiff weddu'n iawn.

Tydi bywyd, 'tai o ddim ond un diwrnod, yn fendigedig? Dim ond un peth sy raid ei wneud, gogoneddu Duw a'i fwynhau o am byth. Y piti ydi nad ydw i ddim wedi mwynhau hanner digon. Dw i wedi cael hanner can mlynedd—dyddiau, wythnosau, misoedd a ddylai fod wedi bod yn llawn o lawenydd. A be dw i wedi'i ei wneud hefo nhw? Eu llenwi nhw â grwgnach a sbeit a phoeni gwirion am bethau dibwys. Pechod, mewn gair. A rŵan, hwyrach ei bod hi'n rhy hwyr.

Ydi hi?

Tawn i'n addunedu rŵan i fod yn llawen tra bydda i byw, fyddwn i'n medru dal ati? Mi oedd yna ryw fariton ar y radio ddoe yn canu cân Almaenig, am ŵr wrth wely angau ei wraig. Pob pennill yn dechrau hefo'r gair *Gluck*. Nid bod yn goeglyd oedd o. Hapusrwydd eu cariad, hapusrwydd eu hatgofion, hapusrwydd eu teulu. Fedra i weld pethau felly?

Pobl eraill fydd y broblem. Pobl yn dod i edrych amdana i. Cydymdeimlo, pitïo, galaru, hyd yn oed cogio 'mod i'n gwella. Ac ar y ffordd adre, mi fyddan nhw'n dweud: 'Rhyfedd. Hen greadures surbwch fuo hi rioed. A rŵan, am bod ganddi rywbeth gwerth cwyno yn ei gylch o, mae hi fel y gog.'

Dw i'n mynd o flaen gofid rŵan. Creu y *scenario* waethaf. Wynebu'r peth. Ond dydw i ddim wedi cyrraedd y canol llonydd. Pam na fedra i dawelu?

Wn i. Mi a' i at ddelw'r Forwyn Fair. Mi symuda i'n ara deg rownd y cefn ac ar hyd corff y gogledd at yr allor fechan. Dyma hi. Mae oesoedd er pan ydw i wedi edrych arni. Tydi ei hwyneb hi'n ifanc? Ac yn llyfn. A'i gwisg hi fel darn o awyr las. A'r ddwy golomen wen yn ei breichiau. Colomen tangnefedd. Dyna be sydd arna i ei eisiau.

> Pa bryd y doi di, g'lomen wyllt,
>
> Fy nghangen, dani, i nythu?

Na, wnaiff hynna mo'r tro. Dydi barddoniaeth ddim yn cyfieithu.

Rhyfedd hefyd. Mi ydw i *yn* teimlo'n well. Lot yn well. Yn fy mhen, o leia. Yr unig beth ydi bod gen i lwmp o rew yn fy stumog o hyd. Ond mi fydd rhaid i mi gario hwnnw hefo fi.

Iawn. Mae'n amser paratoi i fynd i'r ysbyty. A dw i am fynd yno'n llawen. Dw i'n benderfynol. Morál yn anhepgorol. Ydi hi'n werth gwisgo ffrog, tybed, yn lle'r sgert neu'r trowsus sy gen i amdana o hyd? Waeth i mi wisgo fy ffrogiau ddim, i gael y pleser ohonyn nhw. Ia, pam lai? Dim sens cadw dim byd at eto. Ia, a mi a' i i Summers' i gael te hefyd, i flasu'r bwyd rhagorol, a gweld y merched crand yn prynu dillad. Mi wisga i'r ffrog brint sidan, dw i'n meddwl. 'A phan fyddi dithau'n ymprydio, eneinia dy ben a golch dy wyneb.' Mae'n debyg mai minlliw ydi'r peth cyfoes fase'n cyfateb i'r ennaint drud. A mymryn o bersawr.

Wel, dyma fi'n cychwyn yn llond fy nghroen. (Pwylla wrth ddreifio allan o'r giât. 'Sdim isio mynd dros ben llestri, nag oes?) Well i mi stopio i brynu papur. Mi fydd yn dda i mi gael rhywbeth i'w ddarllen, ac mi fydda i'n teimlo'n fwy hyderus hefo'r *Independent* dan fy nghesail. Fel taswn i'n berson, nid jest yn ddarn o gnawd i'w drin. Dw i'n gyfarwydd iawn â'r maes parcio erbyn hyn. Dyma le dan y goeden. Camu'n ôl wrth y fynedfa i adael i ddyn mewn cadair olwyn fynd o 'mlaen i. Hynny'n gwneud i mi deimlo'n iach, yn gyfan, yn uwchraddol. Cerdded at y ddesg yn dalog . . .

Faswn i wedi cadw fy hyder yn well tase'r doctor wedi cadw at ei amser. Roeddwn i wedi darllen y papur, gan gynnwys trafodaeth dreiddgar ar helyntion Iwerddon, wedi dweud y *Magnificat* saith gwaith, wedi gorffen y croesair byr ac wedi dechrau ar yr un cryptig, cyn cael fy ngalw i mewn.

Yr un doctor ag o'r blaen. Diolch am hynny.

'Miss—y—Eirlys Hughes, ia? Dowch i eistedd fan hyn, Eirlys. Ddrwg gen i ych cadw chi'n aros.'

Dydi ei wyneb o'n dweud dim. Does yna ddim tosturi yna, diolch byth. Ond wedyn dw i'n dallt nad ydi o ddim yn gwybod dim ei hun, nad ydi o ddim wedi gweld y nodiadau. Chwarae hefo'r cyfrifiadur mae o.

'H'm. Ia, wel. Ddaru ni anfon meinwe i'r labordy am brofion, yndo?'

Clic, clic ar yr allweddi.

'Sut ydech chi wedi bod er pan fuoch chi yma o'r blaen?'

Sylweddoli mai siarad mae o i gael amser i leoli'r data ar y sgrin.

'Iawn, diolch.' Dw i ddim am chwarae'r gêm o lenwi'r amser.

'Dim symptomau?'

'Dim.'

'Da iawn.'

Tawelwch. Un clic bach.

'A! Dyma ni.'

Tawelwch eto.

Ydi'r geg yn tynhau? Ydi'r llygaid yn canoli, yn amgyffred rhywbeth?

'Wel, Eirlys, mae'n dda gen i ddeud wrthoch chi— mae'r canlyniade'n hollol glir. Mi oedd y polyp yna'n hollol ddiniwed. Dyna beth oedden ni'n ei ddisgwyl, wrth gwrs. Ond fasen ni ddim wedi bod yn deg â chi tasen ni ddim wedi gwneud yn hollol siŵr. Dyna ni, felly. Popeth yn iawn. Mi ellwch chi fynd adre ac anghofio'r peth. Dowch i'n gweld ni ymhen y flwyddyn.'

Does gen i ddim byd i'w ddweud. Yn ara deg dw i'n gollwng yr anadl dw i wedi bod yn ei ddal ers munudau. Dw i'n cerdded allan gan daro golwg nawddoglyd ar y cleifion yn yr ystafell aros. Druan â nhw! Mae'r gwely rhosod wrth y fynedfa'n ddigon o ryfeddod. Welais i mohono fo ar y ffordd i mewn. Dw i'n taflu'r papur i sêt ôl y car, ac yn fy fflownsio fy hun y tu ôl i'r olwyn. Yn feddw o orfoledd. Mae'r byd i gyd yn wyn. Mae'r gwynt yn codi a'r coed yn dawnsio, a finnau'n dawnsio hefo nhw, yn powlio yn yr awyr, yn cyrraedd am y cymylau, yn cyhwfan mewn gogoniant. Haleliwia!

Fydd dim rhaid i mi grafangu am lawenydd rŵan. Mae o gen i, yn naturiol, yn byrlymu y tu mewn i mi. Wir, a bod yn hollol blaen, mi allwn i ddweud ei fod o yn fy mherfedd i.

Elsi

Fuasai neb byth yn credu mor unig yr ydw i. Unig ynteu hiraethus? Y ddau, am wn i. Er bod gen i dŷ bach digon del, yr ola un yn y teras. Mae'n well gen i fod yma ar fy mhen fy hun na mynd i 'gartre'. Am Bob mae gen i fwya o hiraeth, wrth reswm. Bythefnos gafodd o fyw ar ôl ymddeol, a ninnau wedi edrych ymlaen gymaint. Pam mae'r dynion i gyd yn marw? Gwragedd gweddwon ydi pawb dw i'n eu nabod rŵan, a mae'r rheiny i gyd yn iau na fi. A maen nhw bron i gyd yn neiniau, yn brysur bwysig yn edrych ar ôl y plantos. Maen nhw'n meddwl eu bod nhw'n ffeind yn dod i edrych amdana i, ond does gen i ddim cymaint â hynny o eisio'u gweld nhw, a deud y gwir. Maen nhw'n disgwyl i mi ddotio at athrylith yr wyrion bach, a finnau'n methu cofio'u henwau nhw, hyd yn oed. Hefyd mae'r gwragedd yma mor llond eu croen, a fel petaen nhw'n pitïo drosta i, am fy mod i'n sownd yn y gornel, a hwythau'n medru mynd i bob man. 'Rhoswch chi, mei ledis! Pum mlynedd eto, deg fan bella, ac mi ddaw hi i chithau. Os cewch chi fyw.

Dw i ddim mor awyddus â hynny i ddal i fyw. Ddim fel mae pethau. Ond wedyn, does gen i ddim eisio marw chwaith. Dw i'n dal i obeithio y daw pethau'n well. Petai Gwawr ddim ond yn dod i edrych amdana i—dim ond unwaith y mis, neu hyd yn oed bob tri mis. Petai hi ddim ond yn ffonio. Pan oedd hi yn y coleg erstalwm, fyddwn i'n clywed dim oddi wrthi am wythnosau, ac wedyn—y ffôn yn canu a'r llais sionc yn deud 'haia, Mam'. Ond sioncrwydd amhersonol oedd o, yn fy rhybuddio i i beidio â deud dim byd sentimental, fel fy mod i'n falch o glywed ei llais hi, neu fod gen i hiraeth amdani. Nid felly y byddai hi'n siarad hefo'i thad, pan oedd o'n fyw.

Dw i erioed wedi dallt pam nad oedd hi'n fy ngharu i, a finnau'n ei charu hi gymaint. Beth wnes i erioed i'w throi hi yn f'erbyn i? Yr ysgol uwchradd wnaeth y drwg iddi, debyg. Unwaith roedd hi yno, ysgwyd ei hun oddi wrtha i wnaeth hi. Roedd hi fel petai hi'n flin hefo fi o hyd, a dim byd roeddwn i'n ei wneud yn iawn.

'Oes gen ti ddim cerdyn i'n gwâdd ni i'r Cyfarfod Gwobrwyo?'

'Oes, mae o yn fy mag i yn rhywle.' Yn anfoddog.

'Wel, ga i 'i weld o? I dy dad a finne mae o, yntê?'

'Gewch chi o ar ôl i mi sortio'r gwaith cartre. Mae o ynghanol rhyw nodiadau.' Saib. 'Mam, 'sdim siawns y base Dad yn medru dod, nac oes?'

'Wyt ti'n gwybod y base fo a finne wrth ein bodd yn dod hefo'n gilydd. Ond feder o ddim, na feder? Wyt ti'n gwybod na chaiff o ddim gadael y swyddfa. Ond mi ddo i, 'sti. Dw i'n siŵr o fod yno i fod yn gefn i ti, 'nghariad aur i.'

Dim ateb am dipyn. Wedyn:

'Dyma fo'r cerdyn. Hanner awr wedi dau. Dw i ddim yn siŵr fedra i ddod i'ch cwarfod chi wrth y giât. Beryg bydd gynnon ni bractis côr. Ond 'dach chi'n gwybod y ffordd, yntydach?'

'Mam, newch chi ddim gwisgo het, na newch?'

'Mam, dw i 'di cael digon o de! Ges i ginio mawr yn rysgol. Na, dw i'n iawn. Does dim byd yn bod arna i. Sawl gwaith sy isio i mi ddeud? Wel, does neb arall yn deud 'mod i'n llwyd. Chi sy'n gweld pethe. Nac oes siŵr, 'sgin i ddim cleisie dan fy llygid. Na, ddo i ddim i weld y doctor. Waeth i chi heb neud apwyntiad, achos *ddo* i ddim! Tonic, wir. 'Dech chi'n gwybod be ydi tonic? Ffisig cwac! Dim byd ond fitaminau sydd i'w cael mewn bwyd p'run bynnag. Yndw, mi ydw i! Dw i'n byta hen ddigon o salad a phethe iach. Mam, dw i'n hen ddigon tew fel rydw i. Ylwch, dw i'n mynd i'r llofft, a mi ddo i i nôl fy mhaned fy hun pan fydd gen i eisio un, reit?'

Roeddwn i wedi gwahodd rhai o'r teulu i ginio dydd Sul. Wel, mae teulu'n bwysig, yntydi? A digon hawdd ydi colli nabod os na wnewch chi ymdrech. A dydi Gwawr erioed wedi gweld lot ar ei chefndryd, am eu bod nhw i gyd yn digwydd bod yn hŷn na hi. Wrth gwrs, mae deng mlynedd yn gwneud lot o wahaniaeth pan mae rhai'n ddigon hen i briodi a'r lleill ar fin dechrau yn y coleg. Ond mi oedden nhw i gyd yn falch o gael eu gwahodd, a bron bawb wedi dŵad ag anrheg i Gwawr i ddathlu ei chanlyniadau lefel A. Mi oedden ni'n llond tŷ, hefo fy mrawd a'i wraig, eu dwy ferch nhw, fy nghyfnither a'i gŵr, a'i mab hi a'i wraig. Mi o'n i wedi bod wrthi am oriau y diwrnod cynt yn gwneud bîff bwrgwyn, ac anferth o salad ffrwythau hefo bisgedi bach yn bwdin.

A be wnaeth Gwawr? Diflannu! Mynd allan amser capel bore, er nad aeth hi ddim yno yn ôl be ddalltes i wedyn. A doedd dim golwg ohoni amser cinio. Ddim yn y tŷ, ddim yn yr ardd, ddim yn ei llofft. Welais i mohoni'n dod i mewn, ond tuag wyth o'r gloch y nos mi glywes smic bach i fyny'r grisiau, a dyna lle'r oedd hi. Mae'n rhaid ei bod hi wedi dod i mewn drwy'r drws cefn a sleifio i fyny i'w llofft rywdro yn y pnawn.

Roedd gen i gymaint o gywilydd! Ddaru neb gymryd arnynt, wrth gwrs, dim ond diolch am y croeso a dymuno'n dda i Gwawr yn y coleg. Mi o'n i wedi cynhyrfu gormod i fedru dweud dim byd.

A fedrwn i ddim dweud lot wrth Gwawr chwaith. Petawn i wedi edliw ei dyletswydd iddi, mi fyddai hi wedi taflu'r geiriau'n ôl i 'ngwyneb i, ac roedd gen i ofn hynny. Doeddwn i ddim yn ei dallt hi. Yr unig beth ddywedodd hi oedd nad oedd hi ddim am fod 'ar ddangos'; ond doedd hynny ddim yn gwneud sens. Beth oedd hi'n ei feddwl, bod 'ar ddangos'? Pwy fagai blant?

Mi ddaru ni glosio diwrnod angladd Bob, ond dim ond am ychydig, pan oedden nhw'n cario'r arch o'r tŷ. Am unwaith, roedden ni'n dwy yn teimlo'r un peth, sef gwrthod yn glir â gadael iddo fo fynd. Mi ddaru ni lynu wrth ein gilydd y pryd hynny. Mi fuo Gwawr yn help wedyn hefo'r blodau a'r te a phethau felly, ond unwaith yr oedd pawb wedi mynd, aeth hithau allan 'i gael mymryn o awyr iach'. Dyna pryd roedd gen i fwya o'i hangen hi. Mi aeth hi'n ôl i'r coleg drannoeth, fel petai hi'n methu mynd yn ddigon buan.

Y Nadolig cynta hwnnw oedd y gwaetha yn fy hanes i, am wn i. Doedd gen i ddim awydd gwneud y cinio, ond mi wnes i bopeth arferol er mwyn Gwawr. A fflop oedd y cyfan yn y diwedd, achos doedd yna ddim hwyl ar yr un ohonon ni. Colli amynedd fyddai Gwawr pan fyddwn i'n bod yn ddagreuol, a finnau'n disgwyl piti ganddi.

Roedd hi'n cael galwadau ffôn o hyd hefyd. Llais hogyn fyddai'n gofyn amdani, ac acen od arno fo, debyg i acen y Sowth, ond yn fwy estron. Doeddwn i ddim yn deall ei enw fo.

'Iqbal,' meddai Gwawr.

'Enw rhyfedd!' Ro'n i wedi dychryn am fy mywyd. 'O ble mae o'n dŵad?'

66

'O India.'

Roedd rhaid i mi ofyn.

'Dyn du ydi o?'

'Mam! Rhag ych cywilydd chi!'

A dyna'r unig ateb gefais i.

Y Nadolig wedyn, ddaeth Gwawr ddim adre.

Un tro mi ddaeth hi adre nos Galan, hefo potel o bersawr i mi. Calennig yn lle anrheg Nadolig. Doedd hi ddim yn credu yn yr holl rwtsh-ratsh Siôn Cornaidd yma, meddai hi. Ble ar y ddaear y cafodd hi'r syniadau rhyfedd yna?

Wel, wrth gwrs, dw i'n gwybod ble cafodd hi nhw. Gan yr Iqbal yna. Roedd hi am ddŵad â fo yma i fwrw Sul. Wel, sut fedrwn i ei wahodd o? Ac i fod yma ar y Sul, o bopeth?

Fel petaswn i ddim wedi cael digon o brofedigaeth, heb i hyn ddigwydd.

A dyna'r unig dro i ni ffraeo o ddifri. 'Os nad oes 'na groeso i Iqbal, does yna ddim croeso i mi chwaith.' Chefais i erioed y fath ergyd yn fy mywyd. Dw i ddim wedi dweud hyn wrth neb, a phrin y medra i ei ddweud o wrtha i fy hun, hyd yn oed rŵan.

Dw i'n meddwl fy mod i wedi brifo fy hun ddigon am heddiw. Mi feddylia i am bethau hapusach. Mi fydd Carol yma i neud fy nghinio i toc. Mae hi'n dda am goginio cig moch ac wy. Tase hi'n cael caniatâd, mi fase hi'n dod â rhywbeth o adre i mi, mymryn o lobsgows neu bwdin reis. Ond mae'n rhaid iddi gadw at y rheolau. Mae hi'n rhoi mwy na chymorth cartre i mi fel y mae hi. Wir, ganddi hi y ces i'r unig bresant ar fy mhen blwydd. Mae'n arw o beth hefyd, bod dynes y cymorth cartre'n fwy o ffrind i mi na fy nheulu fy hun.

Dyna fi eto, yn dechre cwyno. Rhaid i ti wneud yn well na hynna, Elsi bach. Meddylia am ddiwrnod hapusa dy fywyd.

Wel, diwrnod fy mhriodas, siŵr iawn. Bob yn fwy nerfus na fi, yn pwtffalu hefo'r fodrwy a honno'n rholio dros garped y sêt fawr, a'r gwas priodas yn gorfod mynd ar ei bedwar i'w chael hi. Ac wedyn wrth iddo fo godi mi aeth yn bendramwnwgl rhwng sgertiau'r ddwy forwyn, a'r gweinidog ddim yn gwybod sut i'w helpu o heb wneud pethe'n waeth. Wyddwn i ddim ble i'm rhoi fy hun ar y pryd, ond mi gawson ni lot o hwyl am ben y peth wedyn.

Yr holl flynyddoedd y bues i'n edrych ymlaen at briodas Gwawr! Pam na ddalltith hi mai peth i'w gofio ydi priodas? I'r teulu i gyd felly. On'd oedd gen i berffaith hawl i ddyheu am gael trefnu priodas fy unig ferch? Debyg ei bod hi'n meddwl mai eisiau het grand i mi fy hun oedd gen i. Wel, mi fase hynny wedi bod yn reit neis hefyd. Waeth i mi gyfadde na pheidio. Mae gofyn meddwl am urddas yr achlysur, yndoes?

Roedd Mam wrth ei bodd pan oeddwn i'n priodi, a hi gafodd ei ffordd hefo'r rhan fwyaf o'r trefniadau. Mynnu fy mod i'n cael ffrog hefo gwddw uchel, rhag ofn i mi rynnu wrth ddisgwyl am y dyn tynnu lluniau. Ofn i mi ddangos gormod o groen oedd ganddi mewn gwirionedd—neu dyna beth roeddwn i'n ei feddwl ar y pryd—ond hwyrach nad ydi hynny ddim yn deg. Roedd o'n wir fod ganddi ofn i'r gwynt chwythu arna i. Yn llythrennol felly. *A* finnau'n gwingo. 'Pam fod raid i *mi* wisgo cardigan pan fyddwch *chi*'n teimlo'n oer?' Fedrodd hi erioed roi ateb i hynny, druan; ond mi fydden ni'n mynd trwy'r un peth wedyn drannoeth.

Dw i ddim yn cofio amser pan na fyddwn i'n gwingo. Mi fyddai gan Mam gymaint o ofn i mi fynd yn sâl, ac mi fyddai hi'n rhoi ei llaw ar fy nhalcen i i edrych oedd gen i wres. A finnau'n teimlo'i llaw hi'n drwm a chaled, ac yn tynnu'n ôl.

Rŵan dw i'n teimlo rhyw drueni drosti hi. Biti na faswn i wedi medru bod yn gleniach tuag ati. Ond petai hi wedi cael ei ffordd, mi fyddai wedi fy lapio mewn wadin a byth wedi gadael i mi wthio allan ohono fo. Mi oedd y peth yn afiach rywsut. A doedd gen i ddim isio edrych fel babi mam chwaith, nac fel rhyw greadures wladaidd, ddi-glem. Roeddwn i fel petawn i'n gorfod paffio drwy'r amser i gael sefyll ar fy nhraed fy hun, ac mae'n debyg fod y paffio wedi mynd yn reddfol gen i.

'Pâr o slacs! Bobol annwyl! Be wnei di hefo hen bethe felly?'

'Wel, maen nhw'n lot gwell na sgert, i heicio, neu i fynd ar y beic.'

'Na chei, wir. 'Mond hen enethod comon sy'n gwisgo trowsus.'

'Dydi Miss Elizabeth, y Plas, ddim yn gomon.'

'Mi fase hithe'n edrych lot neisiach mewn sgert. P'run bynnag, mae'r peth yn wahanol i'r Saeson.'

'Mam, dene chi 'di deud rhwbeth rŵan. Pam nad ydi be sy'n iawn i'r Saeson ddim yn iawn i ni?'

Mam yn edrych yn ddryslyd.

'Wel, am mai Saeson ydyn nhw, yntê? Dydi pawb yn gwybod mai fel'ne maen nhw. Does neb yn mynd i ddeud dim byd amdanyn *nhw*.'

'Ofn i bobl siarad sy gynnoch chi felly?'

''Sdim isio rhoi gwaith iddyn nhw, nac oes?'

'Yr argien fawr, Mam, os na fedran nhw ffeindio rhwbeth gwaeth na hynna i ddweud amdana i, mae hi'n reit goch arnyn nhw, yntydi?'

Mi ges i bâr o slacs yn y diwedd, ond hefo siars nad oeddwn i byth i fy nangos fy hun yn y pentre ynddyn nhw. Wel, doedd o ddim llawer o hwyl mynd adre os oedd raid i mi wisgo fel *Lady Muck* o hyd, felly mi ddechreues i neud esgus i beidio â mynd.

Doedd dim posib egluro i Mam.

'Sut wyt ti, Elsi bach? Wyt ti'n brysur tua'r coleg 'ne? Gobeithio dwyt ti ddim yn gweithio'n rhy galed. Wyt ti'n siŵr? Wyt ti'n mynd i dy wely mewn amser rhesymol? Cofia bod awr cyn hanner nos yn werth dwy wedyn. Ia, wel, dy iechyd di ydi'r peth pwysica sy gen ti. Waeth i ti be gei di os colli di hwnnw.

'Gwranda, dw i'n ffonio mewn pryd i ti gael gwybod dyddiad y Gymanfa. Fyddi di'n medru dŵad, yn byddi? Wel, 'den ni wedi medru cael Peleg Hughes i arwain, a mi ydw i wedi'i wadd o i aros y nos. Mae 'ne dri mis eto, felly mi gei di amser i feddwl am ffrog. Mi gei di wisgo'r *fox fur*, a mi neith y *sealskin* yn iawn i mi . . .'

''Rhoswch, rŵan, Mam. Dw i ddim yn siŵr o gwbl y bydda i'n medru dŵad.'

'Ddim yn medru? Ond mae gen ti ddigon o amser i drefnu. Mi fydd yn noson neis iawn, w'sti. Ac mi fydd pawb yn dy ddisgwyl di. O Elsi, mi fydda i'n torri 'nghalon os na ddoi di.'

'Wel, ga i weld. Ond peidiwch â gwneud dim trefniade sy'n dibynnu arna i.'

Fi oedd yn ddi-asgwrn-cefn, debyg. Pam na faswn i wedi dweud yn syth nad oedd gen i ddim isio dŵad adre i ryw sioe fawr felly? Pam na faswn i wedi mynd adre ar fy nhelerau fy hun, a gwisgo be fynnwn i? Ceisio mynnu fy rhyddid, cychwyn ar garlam gwyllt, a bagio wrth y ffens—dyna fyddwn i'n ei wneud.

Yn rhyfedd iawn, mi oedd pethau'n well ar ôl i mi briodi. Mi o'n i'n teimlo'n fwy rhydd, ac mi fyddai Bob yn fy swcro i i fod yn ffeind wrth Mam. 'Poeni amdanat ti mae hi, 'sti.'

Biti bod Mam wedi marw pan oedd Gwawr yn fach. O'n i a Mam ddim yn ffraeo hanner cymaint erbyn hynny, a mi o'n i'n dechrau meddwl y byddai'n braf cael Nain i warchod ambell waith. Ond ches i ddim cyfle.

Mi oedd hi wedi dod i edrych amdana i, ac wedi dod â thorth frith. 'I safio amser i ti. Mae gynnat ti ddigon i'w wneud hefo Gwawr fach.' Petai gen i amser i'w sbario, fyddwn i ddim wedi ei wario fo'n gwneud torth frith. Be sy'n bod ar gacen siop? Mi fyddwn i'n reit flin tu mewn o glywed Bob yn canmol pobi Nain, er fy mod i'n gwybod mai gwneud i'w phlesio hi yr oedd o. Erbyn meddwl, doedd dim rhaid i minnau fod mor ddiddiolch. Mi ddylswn i fod wedi mynd â hi adre yn y car y diwrnod hwnnw hefyd, ond hi fynnodd fynd ar y bws. Wrth iddi ddisgyn a chroesi'r ffordd at ei thŷ, mi ddaeth yna fotobeic rownd y gornel fel mellten, a'i lladd hi yn y fan a'r lle. A'r peth ola o'n i wedi'i ddweud wrth oedd: 'Da chi, Mam, peidiwch â gneud cymaint o *ffŷs*!'

Dw i'n difaru rŵan.

Mi fyddwn i wedi bod wrth fy modd cael bod yn nain. Efallai fy mod i, a finnau ddim yn gwybod. O, dwn i ddim. Fyddai Gwawr yn peidio â dweud hynny wrtha i, tybed? Waeth imi heb â holi. Dw i ddim wedi holi am yr Iqbal yna erstalwm chwaith. Fyddai dim ots gen i iddyn nhw ddŵad hefo'i gilydd i edrych amdana i, er na fyddwn i'n gwybod beth i'w ddweud wrtho fo. Ond mi rown i groeso, fel y medra i. Hwyrach y gwnâi Carol gacen i ni.

A dweud y gwir, mi fyddwn i'n croesawu Gwawr petai hi'n dod â llwyth o fwncïod hefo hi.

All neb gredu mor unig ydw i.

Ednyfed

Deffrodd Ednyfed gydag ias o bleser wrth feddwl am y dydd o'i flaen. Drwy agen gul ei lygaid gwelodd y llenni gwyn yn chwifio yn awel ysgafn y wawr. Ugain munud i saith oedd yr amser ar y cloc bach wrth y gwely. Nythodd dan y cwrlid am bum munud arall i gael rhagflasu ei gynlluniau ac i drefnu pethau yn ei feddwl.

Wrth gwrs, roedd y peth yn her. Am eiliad, synhwyrodd gysur chwaethus ei gartref o'i gwmpas, a chafodd ei demtio i fodloni, i beidio â thrafferthu. Byw yn ei nyth fach ei hun, a derbyn ei chyfyngiadau. Byw fel y mae dyn wedi ymddeol i fod i fyw. Gallai fynd i'r dre am gwpanaid o goffi a galw yn y llyfrgell i chwilio am nofel arall gan C. P. Snow. Ond na, doedd hynny ddim yn ddigon. Roedd o wedi ymddeol heb ymgyflawni, ac roedd ei enaid yn anesmwyth.

Am eiliad arall, brigodd yn ei feddwl y posibilrwydd y gallai fethu, ond gwthiodd y fath ddychryn yn ôl i'r dyfnder yn syth bin. Hyder oedd y peth, sgriwio glewder yn sownd yn y postyn, ac allai o ddim methu. Wedi'r cwbl, roedd o wedi llwyddo naw gwaith. Dim ond dwywaith yr oedd o wedi troi'n ôl, ar yr egwyddor mai gwell traed na gwaed. A ddôi dim drwg o'r fenter. Mi fyddai heddiw'n iawn. A heno mi fyddai adre'n yfed ei sieri ac yn sgwennu hanes y ddegfed antur yn fain ac yn gain o fewn cloriau lledr ei nodlyfr.

Cododd a gwisgo ei hen ŵn sidan Paisley. Mae dillad da'n para am byth, a'u hansawdd yn gwella gyda threigliad y blynyddoedd. Aeth i'r gegin i wneud ei frecwast. Wy heddiw, am fod taith o'i flaen, a dwy dafell o dôst gyda marmalêd leim. Clywodd glec fechan y twll llythyrau, ac aeth i'r cyntedd i nôl y *Times*, swp o bapurach a dau fil. Talodd y ddau fil ar unwaith, gan gau'r ddwy amlen ar y siec a'r bonyn perthnasol a'u gadael ar fwrdd bach y cyntedd yn barod i'w postio. Taflodd y papurach i fag plastig du ar gyfer ei wagu i'r banc ailgylchu ar faes parcio Sainsbury. Wedyn eisteddodd efo'i ail gwpanaid o de i ddarllen y papur.

Rhyfel Bosnia oedd yn tasgu ar draws y dudalen flaen. Trodd Ednyfed at y straeon y tu mewn, a hoeliodd ei lygaid ar hanes menyw wedi dwyn baban o adran mamolaeth un o ysbytai mawr Llundain. Hyder, dyna oedd wedi ei chario hi drwy ei thasg, yn bendifaddau. Dychmygodd Ednyfed hi'n cerdded drwy'r drws tro i'r cyntedd enfawr, yn pasio'r ddesg groeso'n dalog, ac yn troedio'r coridorau fel pe bai hi'n swyddog nyrsio. Cyrraedd yr adran famolaeth, codi'r baban o'i grud, a cherdded allan fel mam yn disgwyl i'w gŵr fynd i nôl y car o'r maes parcio. Yn yr actio yr oedd y gelfyddyd, byw y rôl yn null Stanislafski, nes bod pob ystum a siâp y corff yn cyfleu'r swyddogaeth gywir. Cofiodd, fel y cofiai'n barhaus, stori *Father Brown* am y lleidr a ddygodd ddwsin o gyllyll a ffyrc arian o glwb cinio, dan drwynau'r gwesteion a'r gweinyddion. Cuddwisg y lleidr oedd côt gynffon big a thei gwyn. Dyna a wisgai'r gwesteion a'r gweinyddion fel ei gilydd, ond gallai'r lleidr ymagweddu fel y naill neu'r llall wrth ei fympwy. Aethai i'r ystafell fwyta i glirio'r cytleri rhwng dau gwrs heb i neb o'r gwesteion ei amau. Cuddiodd ei ysbail wrth y drws *baize* gwyrdd, ac wedyn cerddodd drwy'r gegin fel gwestai trahaus a gredai mai ef oedd biau'r byd. Twyllwr tan gamp.

Ar yr un dudalen o'r papur yr oedd hanes uwchgynhadledd wleidyddol, a llun o ddau arweinydd yn cyfarfod ar ganol llawr un o stafelloedd gorwych y Kremlin. Dychmygodd Ednyfed y seremoni, yr amseru manwl, y cyffro yn y ddwy ragystafell, y swyddogion yn dawnsio tendans ar eu pencampwyr, y sythu tei a brwsio llabed. Yna agor cydamserol y drysau dwbl yn nau ben yr ystafell a'r ddau wleidydd yn cychwyn cerdded yn urddasol dros ugain llath o farmor i gyrraedd y cylch ar ganol y llawr ar yr union eiliad, i ysgwyd llaw dan lygaid y camerâu. Beth pe bai un yn cyrraedd o flaen y llall? Byddai hynny'n difetha'r seremoni a oedd i fod yn uchafbwynt ei yrfa, ac yn gwneud holl ymgyrch ei fywyd yn ddiwerth.

Gosododd Ednyfed y papur dan y llythyrau ar y bwrdd yn y cyntedd, ac aeth i gael cawod ac i eillio. Bu dri munud union yn glanhau ei ddannedd. Yna gwisgodd ei siwt dywyll orau, a chrys sidan claerwyn. Bechod peidio â gwisgo tei y Brifysgol, ond doethach dewis y sidan glas gydag ambell edefyn piws, a'r cadach poced i gyd-fynd. Sanau duon, sgidiau duon wedi eu sgleinio neithiwr, a dyna fo'n barod. Wrth gau'r drws ffrynt, trawodd flaen ei ambarél dair gwaith ar y stepan gan ddweud: 'mi fydda i'n ôl yn fy noddfa heno'.

Cyrhaeddodd y Brifysgol yn hawdd erbyn deg. Rhoddodd gildwrn anrhydeddus i'r gyrrwr tacsi, a chamu i'r cwad fel dyn ar ben ei ddigon. Doedd dim rhaid iddo actio. Roedd awyrgylch y lle yn rhoi'r fath foddhad iddo fel y gallai ei deimlo ei hun yn blaguro. Gyda bagl ei ambarél dros ei fraich, rhoes dro hamddenol o gwmpas gan wenu'n nawddogol garedig ar y darpar-raddedigion. Gwgodd fymryn wrth weld pâr o jîns dan ambell ŵn du, a sgert hollt un o'r genethod yn fflachio'n goch dan y wisg academig. Roedd pethau wedi dirywio yn ystod y tair blynedd y bu'n dod i'r seremonïau. Erbyn hyn, prin oedd siwtiau'r hogiau a sgertiau duon a blowsys gwyn y genethod. Ond at ei gilydd, yr oedd yr olygfa yn ei lonni fel gwin. Hymiodd y *Gaudeamus igitur* dan ei wynt. Tybed oedd yma fwy o gyffro nag arfer hyd yn oed? Sylwodd ar y grwpiau teuluol, rhai rhieni cefnog yn ceisio edrych yn ddidaro, eraill yn edrych fel pe baent wedi ennill y lotri ac yn methu credu'r peth. Amryw o'r graddedigion yn ymbalfalu hefo'u cyflau, ac yn sodro pinnau ynddynt i'w cadw yn eu lle. Y rhan fwyaf yn troi eu capiau academaidd bob ffordd i'w cael i ffitio'r gwrymiau sydd ar bob penglog. Tarodd ei lygad ar hogyn go dawel yr olwg, yn dangos y ffordd i wraig ganol oed mewn ffrog ddu a gwyn. I'r dim! Cyfeiriodd ei gamre tuag atynt.

'Diwrnod mawr, yntê? Braf iawn gweld yr ieuenctid yn cael gwobr am eu llwyddiant.'

Gwenodd y fam yn ddiolchgar arno, ac aeth y tri i mewn drwy'r drws tro fel pe baent yn deulu. Yna ymdoddodd Ednyfed yn y dorf am ddau funud cyn anelu'n dawel am yr ystafell arwisgo. Yr oedd dau hogyn mewn siwtiau taclus yn loetran un bob ochr i'r fynedfa. Gwelodd Ednyfed hwy heb sylwi arnynt, ac aeth yn ei flaen i'r coridor bach heb gynhyrfu dim. Wedyn y sylweddolodd o fod y ddau'n debyg i'w gilydd mewn rhyw fodd annelwig, ac yn wahanol i weddill y dyrfa.

'Ga i'ch helpu chi, syr?' Geneth ifanc oedd y tu ôl i'r cownter cynta, geneth ddel yn gwenu'n edmygus arno. Gwenodd Ednyfed yn ôl arni, fel dyn digon hen i allu anwesu prydferthwch heb boeni am y canlyniadau.

'Watkyn ydi'r enw, Syr Edward. Cael fy nerbyn yn Gymrawd.'

Allai hi ddim cyfadde nad oedd hi erioed wedi clywed am Syr Edward Watkyn.

'O, ia, wrth gwrs. Hanner munud, plîs, Syr Edward.' Edrychodd yn y llyfr, aeth drwy'r tudalennau yr eilwaith, gwridodd, a throdd i ffwrdd yn ffwndrus. Cadwodd Ednyfed ei wên oddefgar ar ei wyneb. Dim iws brochi. Hyder oddi mewn, hyder oddi allan. Dyna'r ffordd. Aeth yr eneth i siarad â dyn wrth y cownter nesa, dyn braidd yn hŷn na hi, a golwg ceiliog-ar-ei-domen-ei-hun arno. Daeth y ddau'n ôl yn ddi-stŵr.

'Bore da, Syr . . . Syr Edward?'

'Ia, dyna chi. Edward Watkyn. Cael fy nerbyn yn Gymrawd, wyddoch chi. Er anrhydedd, wrth gwrs. Oes 'na broblem?'

'Na, ddim wir. Dim ond . . . dw i ddim yn gweld dim byd am seremoni derbyn Cymrawd heddiw.'

'O, gobeithio nad ydw i ddim wedi dŵad ar y diwrnod anghywir. Mae 'na gymaint o seremonïau yma, ond mae f'ysgrifenyddes i'n ofalus iawn fel arfer.'

Ymlaciodd y dyn yn sydyn. 'O, mae'n siŵr mai camgymeriad argraffu ydi o.' Trodd at yr eneth. 'Wyt ti'n gwybod lle mae gynau'r Cymrodyr, yn'dwyt?' Yna trodd yn foesgar at Ednyfed. 'Mi ddaw Nia â'ch gŵn i chi'n syth bìn. Fydd yna ddim anhawster ych ffitio chi, faswn i ddim yn meddwl. Ond mi fydda i yma os bydd gynnoch chi angen unrhyw help.' A symudodd i ffwrdd mor ddi-stŵr ag y daethai, a diflannu heibio i res o gypyrddau.

Doedd gan Ednyfed ddim pryder wrth gamu allan o'r ystafell arwisgo. Stopiodd am eiliad wrth y drych ger y drws, dim ond yn ddigon hir i godi ei ŵn ychydig yn uwch dros ei ysgwyddau. Roedd y sglein ar y defnydd llwydwyrdd yn awgrymu hud a lledrith hollalluog, ac yntau'n saff dan y guddwisg. Gadawodd i'w fysedd anwesu'r ymyl goch ar y llawes yn ddistaw bach. Yna peidiodd y gŵn â bod yn guddwisg, ymdoddodd Ednyfed i'r rhith, a cherddodd allan yn Gymrawd digamsyniol, yn rasol barod i dderbyn clod ac anrhydedd y Brifysgol.

Yn y cyntedd, roedd yr awyrgylch wedi newid tra bu Ednyfed oddi yno. Yn sicr roedd yno fwy o gyffro. Nid bod y sŵn yn uwch. Roedd o'n is os rhywbeth. Nid sŵn lleisiau oedd yma'n gymaint erbyn hyn, ond siffrwd gwisgoedd pobl yn symud i weld ac yn tynnu anadl i wrando. O'r neuadd deuai seiniau organ yn chwarae gwaith baróc anhysbys. Roedd gorymdaith y swyddogion yn ymffurfio yn nrws y neuadd. Ymlwybrodd Ednyfed ar hyd mur y cyntedd, gan anelu i ddod at ganol yr orymdaith o'r ochr chwith. Sylwodd fod y tri swyddog olaf, y Llywydd, y Prifathro a'r Cofrestrydd, y tri'n ysblennydd mewn brêd aur, yn sefyll fel tair ochr i sgwâr, fel pe baent yn cadw gofod gwag yn y canol. Daliodd i gerdded yn hamddenol foddhaus nes dod yn gyfochrog â hwy, ac yna cafodd gip rhwng eu hysgwyddau. Ac yna fe'i gwelodd. Dyn byr, tawel yr olwg, dan bwysau ei frêd a'i addurniadau. Sylweddolodd Ednyfed ei fod wedi cyrraedd o fewn dwylath i'r Tywysog.

Teimlodd ei du mewn yn troi drosodd gan lawenydd. Y fath lwc! Y fath goron yn ei gynllunio manwl! Ac i hyn ddigwydd ar y degfed tro! Dyma'i ymgyflawniad o'r diwedd! Mi fyddai o'n iawn rŵan. Ond doedd o ddim am golli ei ben. O, nac oedd. Dyma'r union adeg i roi perfformans ei fywyd, a symud yn osgeiddig urddasol at le priodol ynghanol yr orymdaith a fyddai, mewn munud, yn arwain y canghellor brenhinol i'r llwyfan.

A dyna pryd y daeth y cataclysm. Fel huddyg i botes,

ymddangosodd dwsin o lanciau mewn siwtiau streipen fain; a chyn i Ednyfed ddeall dim yr oedd pedwar ohonynt wedi cau amdano yn union fel yr oedd swyddogion y Brifysgol wedi cau'n warchodol o gwmpas y Tywysog. Roeddent i gyd ben ac ysgwydd yn dalach nag ef hefyd, a fedrai o wneud dim ond cymryd ei sgubo ymaith gan eu hymchwydd, heb weld i ble roedd o'n mynd. Ebychodd yn ddig, ond yr unig ateb a gafodd oedd: 'os byddech chi mor garedig â dod ffordd hyn, syr, mi hoffen ni gael gair . . .' Clywodd ddrws yn cau, symudodd y cyrff mawr fymryn oddi wrtho, a gwelodd eu bod mewn swyddfa fechan, ac un o'r dynion yn sefyll a'i gefn ar y drws.

Am chwarter awr bu Ednyfed yn brochi ac yn bygwth ac yn honni ei fod yn ffrind mynwesol i'r Prif Gwnstabl, gan geisio ymddangos yn uchelfrydig ar dro a bod yn barod i esgusodi'r camgymeriad anffodus yma. Roedd y dynion yn llawn cwrteisi. 'Mi ydech *chi*'n siŵr o ddeall mai diogelwch y Tywysog ydi'n cyfrifoldeb ni.' Prysurodd Ednyfed i ddatgan ei deyrngarwch diysgog i'r teulu brenhinol. Petai o ond yn gwybod, druan, doedd hyn yn lleddfu dim ar amheuon y dynion. Os nad oedd o'n ffanatig didwyll, roedd o'n debycach o fod yn derfysgwr cyfrwys.

Ond wedi iddo orfod cyfaddef mai rhith oedd Syr Edward Watkyn, a gorfod ildio noddfa ei ŵn, crebachodd Ednyfed fel swigen a phìn ynddi. Yn swp diymadferth y cariwyd o drwy ddrws bach yn ochr y neuadd i gar yr heddlu.

Aeth yr hunllef o ddrwg i waeth. Y stripio oedd y gwaetha, a'r archwilio gwaradwyddus. Criodd fel plentyn, ac yr oedd y tu hwnt i deimlo cywilydd hyd yn oed am hynny. Roedd o yn uffern.

Fyddai o ddim wedi cael unrhyw gysur o wybod ei fod wedi achosi cynnwrf digyffelyb yn y dref a'r Brifysgol. Aeth y newyddion allan ar unwaith fod dyn wedi ceisio dynesu at y Tywysog yn ystod y seremonïau graddio. Wyddai neb pam, nac ar ran pwy yr oedd o'n gweithredu. Yr oedd y Brifysgol, yr heddlu a gwarchodwyr y Tywysog yn chwilio'n orffwyll am ateb, ac yn cael gafael ar ddim ond cysgod. Gwaith hawdd oedd iddynt gael gwybod pwy oedd Ednyfed, ei gyfeiriad, ei waith cyn ymddeol, ei gyfrif banc, ei gapel, ei ddiddordebau; ond doedd yno affliw o ddim i ddangos beth oedd ei gymhelliad dros wneud yr hyn a wnaeth. A doedd yr heddlu'n cael dim hwyl ar ei holi o chwaith. Yn un peth, roedd ei gyflwr mor druenus.

'Terfysgwr ydech chi, a mi yden ni am wybod be yn union ydi'r gêm?' Allai'r swyddog ei hun ddim llai na theimlo fod y cwestiwn yn absŵrd. Ac eto, tybed ai perfformiad, perfformiad di-ail, oedd yr holl ddiymad-ferthedd yma? Oedd Ednyfed Williams, y swp dagreuol, glafoeriog yma, yn cuddio rhywbeth?

Byddai'n rhaid iddynt wneud rhywbeth cyn canol dydd drannoeth, neu ryddhau eu carcharor. Byddai'n rhaid iddynt ei gyhuddo o rywbeth, ond o beth? Wedi oriau o drafod, perswadiwyd y Brifysgol i ddwyn cyhuddiad o gael gŵn academig trwy haeriad anwir. Gadawyd Ednyfed yn ei gell dros nos.

Cysgodd fymryn tuag at y bore. Roedd deffro yn y gell fach foel yn waeth hunllef nag arswyd y noson cynt, heblaw ei fod o'n oer, yn stiff ac yn newynog. Daeth cwnstabl i mewn gyda chwpanaid o de, cryf fel triagl. Roedd ei hyfed yn gosb ynddi'i hun. Ond rhwng y ddiod gynnes ac effaith y cysgu, dechreuodd ei feddwl glirio ar un peth o leiaf. Doedd o ddim yn mynd i ddweud wrthynt. Allai o ddim. Allai o ddim cyfaddef pam y gwnaethai'r hyn a wnaeth. Er ei fod yn beth mor ddiniwed. Na, allai o ddim dweud mai ei unig uchelgais oedd cael bod yn y seremoni.

Fuasai neb yn ei gredu sut bynnag.

Dychrynodd eto wrth ddeall fod yn rhaid iddo 'ymddangos' yn llys yr ynadon. Doedd arno ddim eisiau ymddangos yn unlle byth eto, fel fo ei hun na fel neb arall. A doedd ei ddillad ddim wedi dod yn ôl o Fforensig. Cafodd fenthyg rhai gan yr heddlu, a cheisiodd ddyfalu mai rhywun arall oedd o, rhywun a fyddai'n arfer gwisgo crys glas a slacs. Ond allai o ddim ffitio i'r ddelwedd honno rywsut.

Y cywilydd mwyaf oedd cyfaddef ei enw a'i gyfeiriad. Fu dim rhaid iddo ddweud dim ar ôl hynny. Gohiriwyd yr achos am wythnos i gael adroddiad seiciatryddol. Ceisiodd Ednyfed ddweud 'Diolch, eich anrhydedd', ond crimpiodd y geiriau yn ei wddw.

'Yn fy marn i, mae'r ddiffynnydd yn hollol ddiniwed. Mae ganddo obsesiwn ynghylch seremonïau. Ar wahân i hynny, mae o'n hollol normal. Does yna ddim argoel o unrhyw fwriad i gyflawni trais.' Roedd y seiciatrydd yn hollol hyderus. Wedi synnu a thrafod a phetruso, penderfynodd yr ynadon ymrwymo Ednyfed Williams i gadw'r heddwch am ddwy flynedd. Y tro yma, llwyddodd yntau i foesymgrymu'n ddwys cyn gadael y llys.

Dewisodd ei amser i gyrraedd adre pan fyddai tawelwch y prynhawn wedi disgyn ar y faestref, a neb o gwmpas. Wrth roi ei allwedd yn y drws, teimlodd eto gysur chwaethus ei gartref yn lapio amdano, ond doedd pethau ddim yr un fath. Doedd *o* ddim yr un fath. Roedd yn teimlo'n noeth.

Caeodd y llenni drwy'r tŷ i gyd. Cynheuodd y tân trydan yn y lolfa. Aeth i'r cwpwrdd i weld faint o sieri oedd yno. Roedd y botel o sieri melys bron yn llawn, a'r botel o sieri sych yn dri chwarter llawn. Fe wnâi hynny'r tro. Aeth i'r bathrwm i nôl ei botel o dabledi cysgu. Roedd yno ddeunaw o'r rheiny. Trefnodd y cyfan gyda gwydr grisial ar hambwrdd ar y bwrdd coffi. Yna aeth i chwalu ymhlith y cryno-ddisgiau, nes cael hyd i'r *Liebestod*. Llyncodd ddwy dabled gyda'r gwydryn cyntaf o sieri, a dwy wedyn. Yfodd y pedwerydd sieri ar ei dalcen, a llyncodd dair tabled ar ei ôl. Ymchwyddodd y *Liebestod* dro ar ôl tro tuag at yr ecstasi olaf, ond erbyn hynny roedd Ednyfed y tu hwnt i bob cywilydd.

Penmon

'Neith fan hyn y tro, Mam?'

Stopiodd Wiliam y car wrth bwt o benrhyn â'i hances boced o draeth. Pensynnu yr oeddwn i, am y daith 'mewn hoen i Benmon unwaith'; ond doedd dim pwrpas ailadrodd y cywydd. Fyddai neb yn deall.

'Dw i isio mynd i lawr!'

Chwifiodd Jon ei freichiau a datod ei wregys. Synnais fel arfer ei fod yn gallu trafod byclau a gêr o bob math mor ddidrafferth. Waeth heb â dweud wrth blant y dyddiau yma am beidio 'twtsiad y peiriant'. Maen nhw fel pe baen nhw wedi cael eu geni'n beiriannol hyddysg. Cyn gynted ag yr oedd o allan o'r car, rhedodd at y marian, ond gorfu iddo yntau arafu peth ar y cerrig ansad. Er bod gofyn aros i'r tir sadio dan eich troed rhwng pob cam, doedd y gracan llyfn ddim yn brifo'r traed.

'Dw i isio mynd i'r môr!'

'Arhosa funud i mi gloi'r car. Dw i'n dŵad. 'Dach chi'n iawn yn fanna, Mam?'

'Yndw siŵr.' Dw i ddim yn fusgrell, ond doeddwn i ddim am redeg ras hefo'r teirblwydd yn ddianghenraid, yn enwedig gan fod ei dad wrth law. Wnâi mymryn o ymarfer ddim drwg iddo yntau, chwaith. Setlais fy hun ar wal isel greigiog rhwng y llithrfa a'r marian, a'm cefn at siambr y tŷ bwyta. Daeth gwyntyn bach o sawr rhosod ataf ar yr awel. Doedd neb i'w weld o gwmpas, ac roedd golwg wag ar dŷ ceidwad y goleudy. Syllais i'r môr, a'i weld heb fawr o liw nac o sglein. Felly'n wir y bydda i'n hoffi'r môr. Pan fydd o'n wyrdd neu'n las mi fydda i'n chwilio am gymariaethau. Pan fydd o'n llonydd mi fydda i'n blino meddwl ei fod o fel gwydr; a phan fydd o'n gwneud gwrhydri mi fydd 'Y Dymestl' yn rhedeg drwy fy mhen i fel tiwn gron. Heddiw roedd o'n llwyd dan y cymylau, ac yn tonni digon i'm diddori heb dynnu gormod o'm sylw. Papur ar y wal. Cefndir i wrando ar fy meddyliau fy hun, neu'n hytrach i adael iddynt droi yn eu cylchoedd fel moleciwlau yn y cawl cyntefig, i mi gael gweld beth ddeuai i'r wyneb.

Ond doedd dim tymestl yn fy meddwl, na miniog-rwydd chwaith. Suddais i bensyndod, yn fodlon i fod yno, fel garan unig yn gwylio ar y graig.

Dyna lle'r oedd heddwch, dim ond tair milltir o'm tŷ. Pam na ddown i yma'n amlach? Doedd na gwaith na theulu bellach i'm cadw rhag magu a mwytho fy enaid fy hun. Pe bawn i ddim ond yn rhoi awr bob bore i ddod i lawr yma, edrych ar y môr, a mynd adre, mi fyddwn yn bownd o amsugno diferyn bach o serenedd y pellter, debyg? Ond na, stwna o gwmpas y pentre fyddwn i, yn negesa bob dydd yn lle unwaith yr wythnos, ac yn yfed coffi nad oedd arna i mo'i angen. Dim ond pan fyddai Wiliam a'i deulu'n dod am wythnos neu ddwy yn yr haf y byddwn i'n talu sylw o ddifri i'm hynys i, a mwynhau'r pleser dwbl o gael cwmni a chyfle i grwydro.

Wedi cael hoe fach yn eistedd ar y wal, mi fyddwn yn barod yn y munud i ddilyn y ddau at y môr. Dechreuais wrando ar y lleisiau, llais trebl Jon yn plycio'i dannau cyfrin yn fy nghalon, llais dwfn ei dad yn actio'i awdurdod. Roeddwn i'n amau ei fod o'n llawer mwy llym hefo Jon nag y bûm i a'i dad erioed hefo fo, ac mi fyddwn yn troi i ffwrdd yn aml i guddio gwên. Doniol oedd cofio Wiliam erstalwm yn whidlan 'Mami, plîs ga i?', a rŵan yn dweud yn bwysfawr, 'Dim ond os byddi di'n hogyn da. Iawn?' Pleser henaint. Gweld yr olwyn yn troi.

Codais i gychwyn i lawr y sgri. Cyn dod rownd y tro o olwg y traeth, clywn fwy na dau lais. Tebycach i bedwarawd.

Safai Wiliam ag un benelin ar led, y llaw arall yn ei boced, fel un wedi setlo i lawr i sgwrs. Roedd coler ei siaced gŵyr wedi ei throi hanner tu chwith ac un big o'r golwg. Pwyntiai un welington at y môr a'r llall at y sgwrsiwr.

Tybiwn ei fod o fymryn yn iau na Wiliam. Gallai fod yn stwcyn o ddyn ymhen deng mlynedd, ond sgwâr a chadarn oedd ei olwg hyd yma. Rhoddai ei lygaid glas farc y morwr arno. Cyrcydai ar y marian yn twtio ei wialen bysgota.

O ben y sgri, edrychwn i lawr arnynt, a'u gweld fel darlun ar gefndir y môr. Darlun mewn hen lyfr antur i hogiau, hwyrach? Cof am yr hen lun o Walter Raleigh yn hogyn ar lan y môr ond yn edrych dros wybren glir i bellteroedd yr Iwerydd. Wrth i mi ddod yn nes at lefel y ddau, disgynnodd y gorwel nes bod eu hysgwyddau'n sefyll allan yn erbyn yr awyr. Chwalodd y cymylau i ddangos llathen o awyr las, a gloywodd y byd o'u cwmpas. Roedd sylw'r naill yn gyfan gwbl ar y llall.

'Ia, yma am wythnos dw inna. Dŵad bob haf. Mae'r hen foi yn disgwyl hynny.'

'Yr hen foi?'

'Nhad. Byw rhyw ddeng milltir o fan hyn. Cofiwch, mae'n lle bendigedig. Faswn i byth isio lle gwell am wyliau.'

'Dyna beth od. Dŵad i weld Nain 'dan ninna hefyd. Jon, paid â neidio dros y wialen, rhag ofn i ti faglu.'

Y tair pluen ar y wialen oedd yn llygad-dynnu Jon, y

tair wedi eu gosod yn rhesen daclus ar y gro. Roedd rhyw edefyn anweledig yn tynnu llaw yr hogyn at y bluen goch yn y canol, a doedd o ddim yn gweld ei draed. Wrth iddynt sgrialu ar y cerrig llac, roedd o'n bygwth drysu'r lein.

Lathen oddi wrtho, safai hogyn rhywbeth yn debyg o ran oed. Fymryn yn hŷn, efallai. Heblaw ei fod yn benfelyn yn yr haul, roedd o yr un ffunud â'i dad. Wedi hen gyfarwyddo â'r gêr pysgota, ar Jon yr oedd ei sylw i gyd. Safai fel delw yn ei gôt oel.

'Twm, wyt ti am ddangos y pryfaid i'r hogyn bach 'ma?'

'Be 'di d'enw di, hefyd?'

Symudodd Jon ei lygaid at y llais, ond allai o ddim tynnu ei sylw oddi wrth y bluen goch er mwyn rhoi ateb. Wiliam atebodd drosto.

'Jon. Dos i edrych be 'sgin—y—Twm—yn fan'cw.'

Wedi llwyddo i symud sylw Jon at rywbeth saffach na lein bysgota, setlodd y ddau dad yn ôl at eu sgwrs.

''Dach chi ddim yn pysgota, felly?'

'Wel, nac ydw, a dweud y gwir. Mwy o ddyn hwylio, pan ga i gyfle. Jon braidd yn ifanc i ryw gêm amyneddgar fel pysgota. Mae Twm wedi arfer, debyg?'

'Yndi, er mai mela'r gêr sy wrth 'i fodd o. Ond mi fydde Nhad yn dŵad hefo ni tan gafodd o strôc ddechrau'r flwyddyn. Dydi'i draed o ddim yn rhy sad ar y traeth, a mi fasa'n annifyr arno fo'n gorfod aros yn y car. Biti, achos mae Twm a Taid yn dipyn o fêts. Dŵad at y teulu 'dach chitha, felly?'

'Ia, mae Mam hefo ni fan hyn.' Edrychodd tuag ataf a chodais fy llaw arnynt gydag ystum o gadw draw. Ro'n i'n gweld eu bod nhw'n cael blas ar eu sgwrs. Tebyg at ei debyg, mae'n siŵr. Eisteddais ar y graig beth ffordd oddi wrthynt.

'Un o'r ffordd hyn ydach chi, felly?'

'Ia, o Fangor yn wreiddiol. Llunden rŵan. Mam wedi ymddeol yma. O ble 'dach chi'n dŵad, 'lly?'

'O, Monwysion 'di'n teulu ni rioed. Ond dw i'n byw yn Nyfnaint. Appledore. Wyddoch chi am y lle?'

Clywais wich oddi wrth Jon, a gwelwn ef yn rhoi naid fach oddi wrth Twm. Wedyn safodd, fel pe bai'n methu cilio na mynd ymlaen. Codais i weld, heb fynd yn rhy agos. Roedd Twm wedi agor pecyn papur newydd, a hwnnw'n drwm gan dywod gwlyb. Allan o'r uwd roedd o wedi tynnu pryf genwair tew, ac yn ei ddal i fyny rhwng bys a bawd, gan sgubo'r tywod oddi arno hefo'r llaw arall. Wedi'r ysgytwad cyntaf, roedd Jon yn llygaid i gyd.

'Gei di afael ynddo fo os lici di.' Estynnodd Twm y pryf. Rhoddodd Jon ei law tu ôl i'w gefn a chymryd cam yn ôl.

'Dim rhaid i ti.' Rhoddodd Twm y pryf genwair yn ôl yn yr uwd. Eisteddodd ar y gro a'r pecyn papur newydd yn agored o'i flaen. Mewn munud neu ddau, eisteddodd Jon gyferbyn ag o, ond fymryn yn bellach i ffwrdd. Es innau'n ôl i eistedd ar fy nghraig. Roedd yr haul yn gynnes ar fy ngwegil.

'Appledore. Do, fuon ni yno unwaith neu ddwy, yn y garafán. Lle enwog am adeiladu llongau yntê?' Roedd Wiliam erbyn hyn wedi eistedd ar y gro, yn chwarae gyda rhimyn o wymon.

'Ia, yn yr hen amser. Y gogoniant a fu. Ond mae yna ddigon o bysgota. Dyna sut dw i wedi dechrau cael blas. Mae o'n gafael ynot ti, w'st ti.'

Roedd o'n edrych ar Wiliam fel pe bai'n gofyn cwestiwn. Wedyn, aeth ymlaen.

'Huw dw i.'

'Wiliam. S'mai?'

'S'mai.'

'Mae'r hogiau 'ma fel tasen nhw'n gyrru 'mlaen yn reit dda. Hei, peidiwch â mynd yn rhy bell, chi'ch dau!'

Safai'r ddau ar ymyl y don, yn ymryson taflu cerrig i'r môr hefo mwy o egni nag o gywirdeb nod. Chwifiai dwy fraich dde fel ffust, a'r garreg yn aml yn mynd yn lletchwith i'r tywod. Roedd Twm yn fwy hogyn, ac i'w weld yn gryfach, a hynny'n gwneud Jon yn fwy brwd. Roedd ei draed o yn y môr.

'Tyd yn d'ôl dipyn. Wyt ti reit ar lwybr y cerrig.'

Camodd Jon yn ôl, cododd garreg arall, ac yn ei awydd i'w hyrddio i'r pellter rhedodd eto i ymyl y don.

'Twm, rhaid i ti ddŵad yr ochr arall iddo fo, neu mae un o dy gerrig di'n siŵr o'i hitio fo.'

'Hogia! Be 'nei di hefo nhw?'

'Ia, wel, mi flinan daflu cerrig yn y munud. Ond mae'n braf eu gweld nhw'n cael hwyl, yntydi?'

Eto roedd Huw fel pe bai ar fin gofyn rhywbeth. Roedd Wiliam hefyd yn osio siarad ac yn newid ei feddwl. Yna meddai:

'Wyt ti'n dŵad â Twm i lawr yma bob dydd?'

'Rhan amla. Yndw. Ond mae o'n blino weithiau, chwarae ar ei ben ei hun. Wyt ti a Jon yn debyg o fod yma eto?'

'Siŵr o fod. Ei ddifyrru o ydi'r gêm yr wythnos yma. 'Tai hi'n ddiwrnod gwlyb, mi awn i â fo i'r Sw Môr. Ond mae hi'n edrych yn iawn am fory, yntydi? Mi fydd y crwt yn swnian isio dŵad i chwarae hefo Twm, synnwn i ddim.'

88

'Be amdani, 'ta? Ydi naw yn rhy gynnar?'

'Iawn gen i. Fyddi di am bysgota?'

'Ga i weld. Ond mae gen i wialen sbâr, os byddi di ag awydd rhoi cynnig arni.'

'Ella byddi di'n difaru dweud hynna!'

Daeth sŵn lleisiau o gyfeiriad y caffi. Trodd y ddau, a'm gweld i, a chofio fy mod i yno.

'Doeddech chi ddim wedi trefnu dim byd arall ar gyfer fory, oeddech chi, Mam?'

'Nac oeddwn i, neno'r tad. Mi fydd hi'n braf fan hyn. Mi fydd yr hogia bach wrth eu bodd.' A'r hogia mawr hefyd, meddwn i wrthyf fy hun. 'Mi wna i bicnic.'

'Grêt! 'Sdim byd tebyg i frechdanau ham wedi'u halltu â thywod.'

Wel, dyna fo. O leia mi fedra i wneud picnic. Dw innau'n da i rywbeth.

Ac wedyn, mi ddigwyddodd rhywbeth i mi. Neu'n hytrach, mi wnes i i rywbeth ddigwydd. Codais oddi ar y graig, sbramblo i lawr y sgri, ac estyn fy llaw i Huw.

'Marged ydw i. Fyddwch chi'n dŵad â'ch tad i lawr yma? Waeth i mi wneud picnic i chwech nag i bump.'

Goruwch tosturi

Edrychodd Tom ar y pentre fel o'r newydd. Lawer gwaith y gyrasai i lawr y rhiw raddol at y groesffordd, a throi rhwng y siop a'r capel i fyny at y tŷ. Dod adre—o ysgol, coleg a swydd—oedd y peth hawsaf yn y byd. Heno, roedd o'n dod adre am fod ei dad wedi marw, ac yn sydyn doedd y pentre ddim yr un fath. 'Dyma'r lle y magwyd fi' fyddai hi bellach, a'r ferf yn yr amser gorffennol i ddynodi diwedd cyfnod.

Nid bod unrhyw debygolrwydd y byddai ei fam yn gadael y pentre, heb sôn am adael y tŷ sgwâr llwyd y tu ôl i'r gedrwydden goch. Byddai gofyn iddo ddod adre yn amlach na chynt, os rhywbeth. Dod fel angel cynhorthwy; dod i roi gofal, nid i gael noddfa.

Dechreuodd baratoi ei feddwl at y noson o'i flaen. Byddai ei fam yn rhy drallodus, yn sicr, i drafod trefniadau'r angladd. Buasai gorff ac enaid yn un â'i gŵr am yn agos i ddeugain mlynedd. Heblaw amdano ef, Tom, a'r capel wrth gwrs, doedd dim arall yn bod iddi. Byddai wedi cael ei rhwygo'n ddau.

Crensiodd y car ar y graean, a goleuodd y cyntedd. Daeth ei fam i'w freichiau yn y drws, yn fechan ac yn feddal. Gwenodd i fyny arno.

'Tyd i gael swper.'

Teimlodd yn lletchwith, heb ganllaw dan ei law. Dilynodd ei fam ar hyd y cyntedd i'r gegin gefn. Casglodd hi i'w freichiau a'i ddagrau'n disgyn yn boeth ar ei gwallt. Ymhen ychydig eiliadau, roedd hi wedi ymysgwyd oddi wrtho, ac wedi mynd ati i ymorol am y bwyd.

I bob golwg, roedd hi'n union yr un fath ag arfer, yn ei ffrog bob dydd a chardigan lac, ei gwallt yn tonni'n lluniaidd dros ei chlustiau a'i glymu ar ei gwegil. Un o reddf y rhai addfwyn. Gwenai wrth weini'r bwyd. Ac eto, roedd rhywbeth yn wahanol, mwy na'r disgleirdeb llaith yn y llygaid. Roedd yna ryw orfoledd o'i chwmpas hi.

Tybed oedd hi wedi cymryd cyffur o ryw fath?

''Dech chi'n olreit, Mam? Ydi Dr Parry'n edrych ar eich ôl chi? Ydi o wedi rhoi rhywbeth i'ch helpu chi?'

'Tabledi wyt ti'n feddwl? Do, mi adawodd o baced o rywbeth, ond dw i ddim wedi'i agor o. Does gen i ddim angen dim byd felly.'

Daeth afrealaeth y peth i fod yn ddryswch annifyr i Tom. Daeth awydd arno i herio'i fam: 'Mae Dad wedi marw. Ydech chi ddim wedi sylwi?' Ond methodd dorri drwy'r llen dryloyw yr oedd hi'n ei gwau mor ddiwyd o'i chwmpas. Chwaraeodd y gêm am na fedrai wneud dim arall.

Chwaraeodd hi tra oedd yn bwyta'i swper, helpu i glirio'r llestri, a dadlwytho'i gar; ond allai o ddim dweud 'nos da' heb gydnabod y cataclysm.

'Mam, ble mae o?'

'Ble mae pwy?'

'Wel—Dad?'

Trodd y llygaid arno fel diemwntau.

'Oes dim rhaid i ti ofyn, siawns?'

'Mam fach, hwyrach y dylwn i wybod, ond plîs deudwch wrtha i.'

'Wel, mae o ym mynwes yr Iesu, wrth reswm. Dwyt ti ddim yn amau hynny, erioed?'

'O, hynna, ia. Be o'n i'n feddwl oedd, ble mae . . ? Ble mae, wel, y corff?'

Roedd hi'n anodd i Tom ddweud y gair.

'O, mae hwnnw yng ngofal yr ymgymerwr. Does gan dy dad mo'i angen o eto, nac oes? Paid â phoeni am bethau bach heno. Gawn ni drefnu yn y bore.'

Drannoeth bu gorymdaith ddi-dor o gymdogion yn ymlwybro rhwng y ddau wrych bach bocs at y tŷ, gan ymarfer geiriau o gydymdeimlad yn eu pen. Beth oedd yna i'w ddweud? Daethai'r angau mor frawychus o sydyn. Dim ond deuddydd oedd er pan fuont yn mân siarad yn ddiofal a smala gyda Marged Owen yn y pentre, a dyma hi'n sydyn mewn profedigaeth. Synnwyd nhw o gael hyd iddi wrth ei gwaith yn y gegin, a brysiodd sawl un i helpu.

'Ddown ni yma i edrych ar ôl pethau yn y cefn i chi, er mwyn i chi gael bod yn rhydd i dderbyn pobl. Mi gymerwn ni ein tro bob yn ddwy. Dyna'r peth lleiaf y gallwn ni ei wneud.'

Ond wnaeth Marged ddim newid o'i ffrog bob dydd; ac er iddi dywallt te'n groesawgar i bawb, byr fu'r sgyrsiau yn y parlwr.

'Mae pawb yn y pentre yn teimlo drostoch chi.'

'Maen nhw'n garedig iawn, ond does dim angen. Lle i ddiolch sy gen i. Mae'r Arglwydd wedi bod mor dda wrthon ni.'

Wyddai neb sut i ateb.

'Wel, os bydd yna unrhyw beth y gallwn ni ei wneud —unrhyw beth o gwbl, cofiwch adael i ni wybod.' Ac aethant i ffwrdd yn ddryslyd.

Mari Lloyd oedd yr unig un i feiddio chwilota dan y geiriau. Dynes serchus oedd Mari, yn lapio pawb yn ei chariad heb byth betruso na gofyn caniatâd. Fyddai hi byth yn ystyried y posibilrwydd o gael ei gwrthod, am y rheswm da nad oedd hynny erioed wedi digwydd iddi. Aeth yn syth i'r gegin i wacáu ei basged o'i llwyth o fwyd a blodau. Lapiodd Marged yn ei siôl flodeuog, a'i chofleidio â'i chusanu a'i dagrau.

''Y nghariad i! Dw i wedi meddwl am ddim arall er pan glywais i. Tyrd i ni gael eistedd dan y goeden a chrio hefo'n gilydd.'

Aeth Marged allan yn ufudd, gan dderbyn y siaced yr oedd Mari'n ei gosod dros ei hysgwyddau. Eisteddodd y ddwy ar yr hen fainc haearn dan y gedrwydden, lle'r oedd y pridd yn foel. Teimlodd Marged ei hun yn cael ei gwasgu i gôl gynnes, feddal, a'i boddi yn anwes y llais.

'Dyna ti, dyna fo. Cria di faint fynni di. Mi fyddi'n teimlo'n well, 'nghariad i.'

Ond ymhen ychydig eiliadau, yr oedd Marged wedi rhwyfo allan o'r adain warchodol. Eisteddodd yn syth ar y fainc, a rhoi ei braich i orwedd ar y stribyn gwyn o haearn ar yr ochr. Mwythodd y fagl.

'Does gen i ddim achos i wylo.'

'Ddim achos i wylo! 'Y nghariad aur i. Rwyt ti'n ddewr tu hwnt. Ond does dim gofyn i ti dy gadw dy hun dan y fath reolaeth. Mi fyddi di'n well o ymollwng dipyn bach.' Gwasgodd ei braich dde am ysgwyddau Marged eto. Roedd Mari'n wylo'n hidl, ond gwenu o lygaid gloyw yr oedd Marged.

'Nid dewr ydw i.'

'Rwyt ti mewn sioc garw iawn.'

'Wrth gwrs fe ddaeth yr alwad yn sydyn, ond—dwyt ti ddim yn deall, nac wyt?'

'Dw i'n deall dy fod di wedi cael profedigaeth ddychrynllyd.'

Trodd Marged i edrych arni.

'Nid profedigaeth. Mae Euros wedi mynd at yr

Arglwydd. Mae o mewn gogoniant. Sut y gall hynny fod yn brofedigaeth?'

'Dyna ti. Paid â thrio siarad rŵan.' Parhaodd Mari â'i hislais o gysur dieiriau, a braidd nad oedd Marged yn wylo. Ond cyn bo hir cododd i fynd i'r tŷ i wneud te. 'Mi alwa i ar Tom i ddod i gael paned hefo ni. Mae o wedi bod wrthi hefo'r trefniadau drwy'r dydd, chwarae teg iddo fo.'

'Mae hi'n ergyd iddo fo hefyd, yn siŵr.'

'Ergyd? Awn ni i'r gegin i gael te, ia?'

Cyn i'r te orffen mwydo yn y tebot lystar, canodd cloch y drws ffrynt, a mynnodd Marged fynd i'w ateb ei hun. Cafodd Mari gyfle i ddangos ei phryder.

'Tom bach, diolch byth dy fod ti yma. Mae arna i ofn fod ar dy fam druan angen llawer iawn, iawn o ofal.'

Wedi dim ond tair blynedd yn y weinidogaeth, doedd Einion Jones ddim wedi magu hyder wrth drin angladdau, ond teimlai'n fwy ar goll nag arfer wrth geisio cysuro Marged Owen. Roedd hi mor ddigyffro, yn ei alw ef a Tom i'r gegin ac yn symud y llestri i un pen y bwrdd i wneud lle.

'Mae pobl wedi bod mor ffeind yn galw, ac wedi dod â chymaint o fwyd. Hwyrach y gallwn ni ddefnyddio peth ohono fo yn y festri wedi'r gwasanaeth.'

'Dw i'n siŵr y bydd y chwiorydd wedi gofalu am ddigon yn y fan honno. Cofiwch fod raid i Tom a chithau gael bwyd hefyd.'

Gwenodd Marged. 'Mae Tom wedi bod mor dda wrtha i.'

'Meddwl oeddwn i, os ydech chi'n teimlo'n ddigon da, y gallem ni gael gair bach ynghylch yr emynau ar gyfer y gwasanaeth.'

'Diolch yn fawr i chi. A dweud y gwir, rydw i wedi edrych drwy'r llyfr, gan obeithio y byddwch chi'n cyd-weld â fy newis i. Y pwysica dw i'n meddwl ydi:

Nac wyled teulu Duw
    Ar ôl y saint,
Maent gyda'r Iesu'n fyw—
    Mawr yw eu braint.

Ie, dyna fo. Mawr yw eu braint. Mae hynna'n bwysig. A'r llall ydi:

Cânt weled heb gudd
    Yn dirion bob dydd
Ogoniant y Duwdod—
    Rhyfeddod a fydd!

Ie, mi fydd y rheina'n fendigedig, yn byddan Tom?'

'Siŵr iawn, beth bynnag 'di'ch dymuniad chi, Mam.'

'Ond rwyt ti'n cyd-weld, yndwyt?'

'Yndw, siŵr.'

'Dewis ardderchog, wir. Tybed, wedyn, oes gennych chi ryw ffefryn cerddorol yr hoffech chi ei gael ar yr organ wrth i'r cynhebrwng ymadael o'r capel? Rhywbeth tyner, esmwythlon hwyrach?'

Pletiodd Marged ei dwylo ynghyd a'u gosod ar y bwrdd o'i blaen. Cododd ei phen yn benderfynol.

''Dech chi'n gweld, Mr Jones, dw i ddim yn drist am fod Euros wedi mynd at Dduw. Mi fase hynny'n bechod ar fy rhan i. Testun llawenydd mawr ydi o. Mae ei enaid o gyda'r angylion yn barod, a dydi'r angladd yn golygu dim mwy na gorffen hefo'r corff sydd wedi ei ddiosg ers deuddydd. Mae hynny'n wir, yntydi? Dyna ydi athrawiaeth yr eglwys, yntê? Felly, mi welwch mai cerddoriaeth o orfoledd sydd yn addas ar ddiwedd y gwasanaeth. Rhywbeth fel cytgan yr Haleliwia, hwyrach?'

Gostyngodd Einion ei lygaid ac oedi cyn ateb. Roedd ei lais yn ddwys.

'Ie, dyna athrawiaeth yr eglwys. Rydech chi yn llygad eich lle. Yn wir, Mrs Owen, rydech chi'n esiampl i ni i gyd. O na bai mwy o'n haelodau ni'n gweithredu yn ôl y ffydd o ddifrif.

'Dw i'n credu fy mod i'n deall eich teimladau chi, ac yr hoffech chi i'r pwyslais fod ar ddiolchgarwch a mawl i Dduw, wrth gwrs. Mi wna i fy ngorau glas i lunio oedfa ar y llinellau yna, ac mi fyddwn ni i gyd ar ein hennill, dw i'n siŵr.'

Nodiodd Marged ac aeth y gweinidog yn ei flaen.

'Yr unig beth, ynglŷn â'r gerddoriaeth, ydech chi ddim yn meddwl hwyrach y byddai'r Haleliwia'n taro braidd yn ddiarth ar glustiau'r gynulleidfa? Heb fod pobl yn deall y rheswm tu ôl i'r dewis, wel, mi allai fod yn dipyn bach o sioc iddyn nhw. Beth am rywbeth fymrym tawelach, fel "Iesu, difyrrwch f'enaid drud"?'

Edrychodd Marged arno'n ddi-ildio, er mor addfwyn.

'Yr Haleliwia sydd yn fy enaid i, Mr Jones. Ac yr ydw i'n berffaith sicr y bydd Euros yn gwrando ar yr oedfa ac y bydd o'n ymuno yn y gorfoledd. Hoffwn i mo'i siomi o.'

Cododd Einion yn fyfyrgar ar ei draed.

'Mrs Owen, mae'ch ffydd chi'n codi cywilydd arna i. Mi wnawn ni yn union fel yr ydech chi'n gofyn.'

Roedd Tom yn falch o weld y noson olaf cyn yr angladd, a diwedd ar y gwaith o wneud trefniadau. Teimlai angen am egwyl i ystyried, i alaru, ac i ffarwelio â'i dad. Buasai wedi hoffi cael gwneud hyn i gyd gyda'i fam, ond roedd hi'n bell oddi wrtho. Dros y pum diwrnod ers iddo gyrraedd adref, fu dim diffygio ar ei gorfoledd, ar ei sicrwydd fod Euros yn mwynhau llawenydd dihysbydd a thragwyddol ym mynwes y Tad. Fynnai hi ddim ei bod hi mewn galar; ond er mwyn plesio'r holwyr, byddai'n cydnabod ei bod yn teimlo'n flinedig o dro i dro.

Daeth Mari Lloyd draw, yn cario bara ffres, a salad mewn bowlen o bren llwyfen.

'Meddwl o'n i y buasen ni'n tri yn cael swper bach tawel, ac ymlacio tipyn er mwyn bod yn barod at yfory. Gobeithio y medri di fwyta rhywbeth ysgafn fcl hyn, Marged fach.'

'O diolch, Mari. Rwyt ti'n ffeind dros ben.'

Ac roedd y gegin yn dangnefeddus, y llestri patrwm helyg ar y lliain glas a gwyn, blodau ar sil y ffenest a sawr y ddrysïen bêr yn chwa heibio'r llenni. Bron nad oedd cariad Mari i'w deimlo fel canopi dros y bwrdd. Gofynnodd Marged i Tom ddweud Gras, a dechreuodd yntau ar yr englyn a ddysgasai'n blentyn, ond ni allai ddweud y geiriau 'yn deulu dedwydd'. Mwmiodd frawddeg blaen o ddiolch, ac eisteddodd y tri, a dwyster yn cyfannu eu profiad am y tro. Estynnodd Marged ei chroeso fcl arfer, gan ofalu fod y bwyd i gyd yng nghyrraedd y ddau arall. Wrth ymlacio gyda'r coffi, mentrodd Mari sôn am yr angladd drannoeth.

'Dw i'n gwybod dy fod ti'n ddewr iawn, iawn, ond mae peth fel hyn yn straen ar y gorau. Mi fydd Tom yn gefn i ti. Cofia y gwna innau unrhyw beth alla i i wneud pethau'n haws i ti, dim ond i ti ofyn. Mi wnei di ofyn, gobeithio?'

'Rwyt ti'n ffrind da i mi, Mari. Dw i'n ddiolchgar. Ond mi fydda i'n iawn fory. Diwrnod o ogoniant fydd o. Wyt ti'n deall hynny, yndwyt?'

'O 'nghariad i, rwyt ti fel sant.'

Cafodd Mari o leiaf y pleser o allu perswadio Marged

i fynd i orffwys, gan adael Tom a hithau i olchi'r llestri. Golwg fyfyrgar oedd arno, fel dyn nad oedd am gychwyn sgwrs na'i hosgoi hi chwaith. Penderfynodd Mari leisio ei gofid.

'Dw i'n siŵr mai'r sioc ydi o, w'st ti. Mae meddwl fod Euros druan wedi marw yn ormod iddi, ac mae ei meddwl hi'n llwyrymwrthod â'r syniad. Dw i'n cofio Beti Ty'n Coed yr un fath yn union. Am fis mi fu hi'n gwrthod derbyn fod yr hogyn wedi'i ladd, ond wedyn mae damwain awyren yn beth gwahanol. Wel, wna i ddim manylu. Beth bynnag, pan wnaeth hi sylweddoli, doedd dim cysuro arni. Dyna sydd gen i ei ofn hefo dy fam. Ddylwn i ddim codi bwganod, chwaith, a thithau'n gorfod mynd yn ôl i Gaerdydd. Paid â phoeni. Mi gadwa i lygad barcud ar Marged, a gadael i ti wybod sut y bydd pethau. Yn y cyfamser, mae fory i'w fyw drwyddo. Tom bach, 'den ni fel petaen ni'n anghofio amdanat ti wrth ofidio dros dy fam. Dwn i ddim pam ryden ni'n disgwyl i ddynion fod yn gryf ar adeg fel hyn, yn enwedig meibion i wragedd gweddwon.' Siaradodd â'i braich amdano, ac ildiodd yntau i'r cysur.

'Dw i'n dod trwyddi, ond Mam ydi'r un gref. Synnwn i ddim na fydd hi'n iawn fory. P'run bynnag, mi fydd raid i ni gyd-fynd â hi, yn bydd? Boddio'i mympwyon hi, os mympwyon ydyn nhw hefyd. Gyda phob parch, Mari, dw i ddim yn siŵr mai sioc sydd arni hi. Mae ei chrefydd hi'n real, wyddoch chi. Yn fwy real na'r byd yma weithiau.'

Yn ei dillad dydd Sul yr aeth Marged i angladd ei gŵr, yn ei siwt las oedd wedi gweld pum haf. Cadwodd Tom yn glòs wrth ei hochr, ond fynnai hi ddim pwyso arno. Gwasgodd ei law o bryd i'w gilydd i'w gysuro.

I Tom, roedd y defodau'n ingol. Hoeliodd ei lygaid ar yr elor dan ei llwyth o rosynnau'r haf. Aeth saeth i'w galon wrth iddi gychwyn ar ei thaith o sêt fawr y capel i'r fynwent gyfagos, yn sain cytgan yr Haleliwia. Er ufuddhau i ddewis Marged Owen o gerddoriaeth, methodd yr organydd dorri ar yr arfer o chwarae'n araf a distaw, ac arbedodd hynny lawer ar syndod y gynulleidfa. Cerddodd Marged yn ddefosiynol, ei llygaid yn serennu a'i gwên yn addfwyn. Wrth adael y fynwent, aeth i ddiolch i'r gweinidog am ei wasanaeth.

'Dyna fo. Dyna Euros yn rhydd o'r corff bregus yna o'r diwedd. Mae popeth yn iawn hefo fo bellach.'

Daeth Einion i fyny'r llwybr pan oedd yr hen gedrwydden yn gysgod trwm ar y gwyll. Arferai fynd am dro ar ôl angladd i ysgafnu ei feddwl, ond heno doedd pethau ddim yr un fath ag arfer. Teimlai'n anesmwyth, gyffrous, fel pe bai rhyw newid yn y gwynt. Roedd arno eisiau gwybod beth fyddai cyflwr Marged Owen. Tybed fyddai hi wedi ildio i'w galar erbyn hyn?

Ond Tom ei hun oedd yn eistedd ar y fainc dan y goeden.

'Mae Mam wedi mynd i'w gwely. Mae hi'n hapus flinedig, fel plentyn.'

'Mae hi'n rhyfeddol.'

'Yndi.'

'Mae hi wedi rhoi ysgytwad i mi, mae'n rhaid i mi ddweud. Dangos i mi mor wan ydi ffydd y rhan fwya ohonon ni fel Cristnogion, a finnau yn eu plith nhw. 'Den ni'n dweud mai marwolaeth ydi'r drws i'r nefoedd, ond 'den ni'n byhafio fel petai o'n glep ar gaead yr arch.'

'Ie. Mae hi'n hollol siŵr o'i phethau. Rhaid i mi

gyfaddef, Einion, mae hi wedi mynd ymhell y tu hwnt i mi.'

'Wel, dydi o ddim yn dod i ran llawer i fod yn saint, i gael eu haearneiddio drwy gur ar gur. Y piti ydi, gan fod eu profiad nhw mor wahanol, fod yna fwlch rhyngon ni a nhw. Wyt ti'n teimlo hynny?'

'Erbyn meddwl, ydw. Mae Mam yn annwyl, ac yn meddwl am fy nghysur i drwy'r dydd, ond fedr hi a finnau ddim rhannu profiadau. Ar fy mhen fy hun y bydd raid i mi alaru.'

Ar ei ben ei hun y cerddodd Einion yn ôl i'r pentre ac adre i'r Mans. Ar ei ben ei hun yr aeth Tom, y Llun canlynol, yn ôl i'w fyd cyfrifiadurol. Ac ar ei phen ei hun y parhaodd Marged i ddringo glesni oer ei mynydd unig hi.

104
64
65
66
72